KB076928

퍼즐로 체험하는
발명과 창의성

퍼즐로 체험하는 발명과 창의성

발 행 | 2024년 04월 15일

저 자 | 이은상

펴낸이 | 한건희

펴낸곳 | 주식회사 부크크

출판사등록 | 2014.07.15.(제2014-16호)

주 소 | 서울특별시 금천구 가산디지털1로 119 SK트윈타워 A동 305호

전 화 | 1670-8316

이메일 | info@bookk.co.kr

ISBN | 979-11-410-8099-0

www.bookk.co.kr

퍼즐로 체험하는 발명과 창의성

이은상 지음

차 례

머리말

평생 발명 교육에 큰 관심을 가져온 저자로서, 어떻게 하면 학생들에게 이 과목을 효과적으로 가르칠 수 있을지에 대한 고민이 많았습니다. 이러한 고민을 해결하기 위해 이 교재를 집필하기로 결심했습니다. 이 교재에서는 지난 20여년 동안 발명 교육 현장에서 체험하고 경험한 다양한 사례들을 담았습니다. 비록 전체를 완벽하게 다루지는 못했지만, 전달하고 싶은 핵심 메시지는 충분히 포함시켰다고 생각합니다.

이 교재는 단순히 발명과 창의성에만 그치지 않고, 기초 제도 및 3D 모델링과 같은 내용들도 포함하고 있습니다. 이는 본 교재가 학부 수업을 위해 집필되었기 때문입니다.

이 교재를 통해 학생들이 발명과 창의성의 세계를 새롭게 경험하고, 그 과정에서 자신만의 독창적인 아이디어를 발전시킬 수 이를 교육에 적용할 수 있기를 바랍니다. '퍼즐로 체험하는 발명과 창의성'은 학생들에게 단순한 지식 전달을 넘어서, 실제로 문제를 해결하고 새로운 것을 창조할 수 있는 능력을 키워줄 것입니다. 모든 독자들이 이 교재로부터 영감을 받고, 발명과 창의력을 기반으로 본인의 미래를 향해 한 걸음 더 나아갈 수 있기를 기대합니다.

2024년 4월 저자

제 1 장 개요

1.1. 발명과 창의성

발명과 창의성은 인류 발전의 근간을 이루는 두 가지 핵심 요소다. 발명은 기존의 지식, 기술, 물질을 새롭게 조합하거나 개선하여 전에 없던 새로운 제품이나 방법을 창출하는 과정이다. 이 과정에서 창의성은 매우 중요한 역할을 한다. 창의성이란 전통적인 사고방식에서 벗어나 독창적이고 혁신적인 아이디어를 생산하는 능력을 말한다. 이 두 가지는 서로 떼려야 뗄 수 없는 관계에 있으며, 발명을 통해 창의성이 구현되고, 창의성은 발명을 가능하게 한다.

역사적으로 보면, 발명은 인류가 직면한 다양한 문제를 해결하고, 생활을 더 편리하게 만드는 데 기여해왔다. 예를 들어, 바퀴의 발명은 운송 수단을 혁신적으로 변화시켰으며, 전기의 발명은 인간의 일과 삶의 방식을 근본적으로 바꿔 놓았다. 이처럼 발명은 단순히 새로운 것을 만드는 것을 넘어서, 사회적, 경제적, 문화적 발전을 촉진하는 중요한 원동력이다.

창의성은 발명뿐만 아니라 예술, 음악, 문학 등 인간의 문화 활동 전반에 걸쳐 핵심적인 역할을 한다. 창의적인 사고는 새로운 아이디어나 표현 방식을 탄생시켜 인류의 문화적 유산을 풍부하게 한다. 이는 단순히 새로움을 추구하는 것을 넘어서, 인간 내면의 감정이나 생각을 표현하고, 사회적 메시지를 전달하는 수단이 되기도 한다.

현대 사회에서는 발명과 창의성이 더욱 중요해지고 있다. 기술의 급속한 발전과 글로벌 경쟁이 치열해지면서, 지속 가능한 성장을 위해선 지속적인 혁신이 필수적이기 때문이다. 이를 위해선 개인과 조직 모두가 창의적인 사고를 장려하고, 새로운 아이디어를 실험하며, 실패를 두려워하지 않는 문화를 구축하는 것이 중요하다.

발명과 창의성은 인간의 삶을 풍요롭게 하고, 사회의 발전을 이끄는 데 필수적인 요소다. 이를 통해 인류는 지금까지 해결되지 않은 문제에 대한 해답을 찾고, 미래를 향한 새로운 도전에 직면할 준비를 할 수 있다.

1.2. 퍼즐과 창의성

퍼즐은 단순한 놀이 도구 이상의 깊은 가치를 지니며, 창의성 발달에 있어 중요한 역할을 한다. 퍼즐을 풀 때 우리는 논리적 사고, 문제 해결 능력, 공간적 인지 능력을 동원하게 된다. 이 과정에서 개인의 창의적 사고력이 자극되고 발달하며, 이는 곧 다양한 삶의 영역에서 혁신적인 아이디어와 해결책을 찾아내는 기반을 마련한다.

퍼즐은 그 종류가 매우 다양하며, 각각 다른 형태의 창의력과 사고력을 요구한다. 예를 들어, 직소 퍼즐은 수많은 조각 중 올바른 위치를 찾아 맞추며 공간 지각 능력을 향상시킨다. 반면, 숫자나 단어 퍼즐 같은 것들은 논리적 사고와 언어 능력을 강화시킨다. 이러한 다양한 유형의 퍼즐은 사람들이 문제에 접근하는 다양한 방법을 시험해 볼 수 있는 기회를 제공한다.

창의성과 관련하여 퍼즐은 기존의 정보를 새롭고 독창적인 방식으로 조합하고 재해석하는 과정을 통해, 사고의 유연성을 증진시킨다. 퍼즐을 풀면서 사람들은 종종 고정관념에서 벗어나, 비표준적인 해결책을 모색하게 된다. 이러한 과정은 창의적 문제 해결의 핵심 원리와 맥을 같이한다.

또한, 퍼즐은 실패를 통한 학습의 가치를 가르친다. 모든 시도가 성공으로 이어지지는 않지만, 퍼즐을 통해 개인은 시행착오를 겪으며 점차 더 나은 전략을 개발하게 된다. 이러한 경험은 창의적 과정에서도 중요한데, 실패를 두려워하지 않고 지속적으로 시도하는 태도가 혁신을 이끄는 데 필수적이기 때문이다.

교육적 관점에서 보면, 퍼즐은 아이들에게 창의력을 발휘하고 사고력을 확장할 수 있는 훌륭한 수단을 제공한다. 아이들은 퍼즐을 통해 자신의 생각을 구체화하고, 문제에 대해 다양한 각도에서 생각해 볼 수 있는 기회를 갖게 된다. 이는 그들이 성장하며 직면하게 될 복잡한 문제들에 대한 해결책을 찾는 데 귀중한 기술이 될 것이다.

퍼즐은 창의성을 자극하고 발달시키는 데 매우 유용한 도구이다. 퍼즐을 통해 개발된 창의적 사고력과 문제 해결 능력은 학습, 업무, 일상 생활에서의 다양한 도전을 극복하는 데 도움을 줄 수 있다.

이 교재에서는 퍼즐을 이용하여 창의성을 기르는 다양한 활동을 진행하고, 퍼즐과 관련된 다양한 발명 사례를 탐색해 본다.

퍼즐로 체험하는 발명과 창의성

제 2 장 창의성 계발 기법

2.1. 결점 열거법

2.1.1. 정의

결점 열거법은 문제 해결과 발명의 과정에서 중요한 역할을 하는 방법론으로, 사람들이 일상에서 경험하는 불편함과 문제점에 대해 불만을 표출하는 것을 넘어, 이를 개선하기 위한 적극적인 태도를 취하며 창의적인 해결책을 모색하는 데 초점을 맞춘다. 이 방법은 개별적 또는 집단적으로 직면한 문제점들을 체계적으로 열거하고, 그 중에서 해결이 시급한 결점들을 도출하여, 그에 대한 아이디어와 해결책을 발전시키기 위해 개발되었다.

2.1.2. 결점 열거법의 절차

결점 열거법은 문제 발견에서 해결책 도출에 이르기까지 몇 단계의 과정을 거친다. 이 과정은 단순히 문제를 식별하는 것에서 그치지 않고, 실질적인 해결 방안을 찾는 것을 목표로 한다. 결점 자체를 해결의 출발점으로 보고, 그 해결을 위한 방안 모색에 중점을 둔다.

- 문제점 식별 : 참가자들에게 특정 제품이나 서비스와 관련된 문제점이나 결점들을 찾아볼 것을 요청한다. 각 참가자는 5~10개 정도의 결점을 발굴해 낼 것을 권장한다.
- 결점 정리 및 목록화 : 발견된 결점들을 수집하여 정리한 후, 공통적으로 드러난 문제점들을 기준으로 목록을 작성한다.
- 우선 순위 결정 및 브레인스토밍 적용 : 참가자들은 정리된 결점 목록을 검토하고, 투표를 통해 우선 순위를 결정한다. 가장 중요하게 여겨지는 결점들부터 순서대로 브레인스토밍을 실시하여, 각 문제에 대한 창의적인 해결 방안을 도출한다.

이러한 절차를 통해, 결점 열거법은 문제의 식별에서부터 해결책의 개발에 이르는 전 과정에서 창의적이고 혁신적인 사고를 촉진한다. 이 방법은 팀이나 조직뿐만 아니라 개인의 문제 해결 능력을 향상시키는 데에도 유용하며, 발명과 혁신을 위한 강력한 도구로 활용될 수 있다.

2.1.3. 결점 열거법 작성 예시

다음은 '블라인드'를 주제로 결점 열거법으로 문제를 적어보고 이를 개선할 수 있는 아이디어를 적어본 예시이다.

블라인드

1. 올리거나 내릴때 줄 당기는 방향이 헷갈린다
→ 해결방안
   ① 줄에 ↑↓ 표시를 해둔다
   ② 줄이아닌 버튼으로 작동하도록 한다
   ③ 줄을 두개 만들어 색깔을 다르게 한다.

2. 햇빛과 바깥풍경도 함께 차단되어 풍경을 볼수없다
→ 해결방안
   ① 블라인드 기능을 창문자체에 (자외선 차단) 만든다 → 밖이 보이도록 (비치도록)
   ② 블라인드에 멋진 풍경을 인쇄한다

3. 가려지지 않는 틈새로는 빛이 새어나온다
→ 해결방안
   ① 사방으로 고무로 ~~~~ 달라붙어 빛이 새어나가지 않도록 한다
   ② 창문에 블라인드 (자외선차단) 스티커 를 붙인다 (차 창문에 붙이듯)

4. 바람이 불때마다 창문에 부딪히면 시끄럽다
→ 해결방안
   ① 밤 딸깨 고정할수있는 것을 붙인다
   ② 창문에 블라인드 기능을 추가한다 (2,3번 문제 해결방안과 동일)

5. 블라인드가 넓으면 줄까지 손이 잘 닿지 않을수있다 (열려있을 경우)
→ 해결방안
   ① 블라인드 아랫쪽이나 벽에 일정한 간격으로 버튼을 만든다

   ② 리모콘으로 작동가능하도록 만든다 (휴대용)

2.1.4. 결점 열거법 연습하기

- 연습 1 : '콘센트'의 결점(문제점)을 적어보고 이를 개선할 수 있는 아이디어를 적어보자.

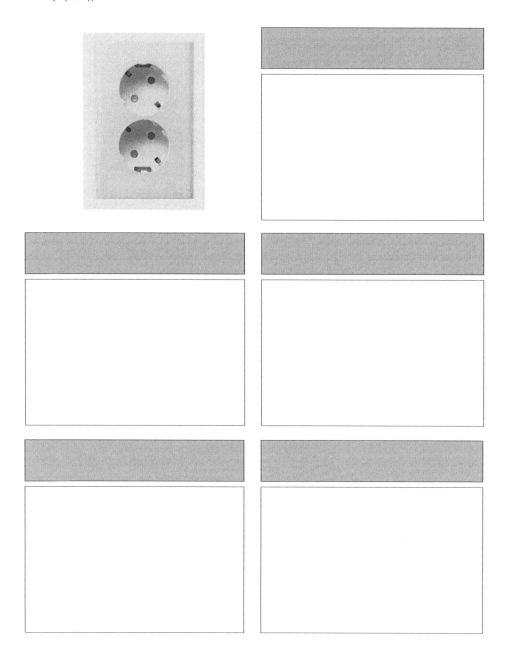

- 연습 2 : 소마 퍼즐 체험활동에서의 결점(문제점)을 적어보고 이를 개선할 수 있는 아이디어를 적어보자.

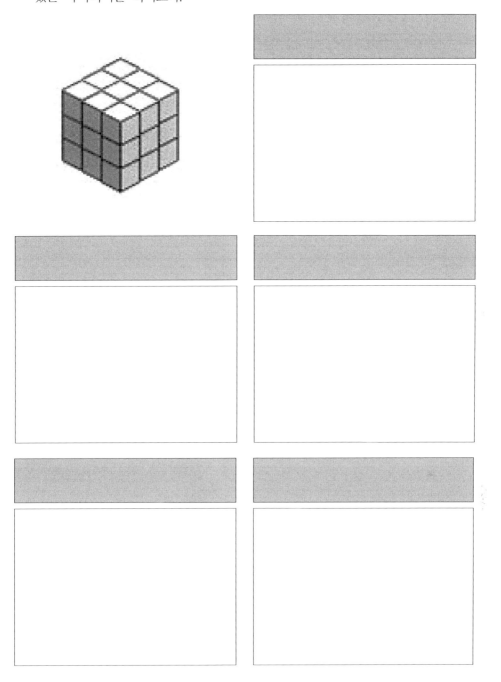

- 연습 3 : 아두이노 자동차 만들기 체험활동에서의 결점(문제점)을 적어보고 이를 개선할 수 있는 아이디어를 적어보자.

2.2. 스캠퍼

2.2.1. 정의

스캠퍼(SCAMPER) 기법은 미국의 교육행정가 밥 에벌(Bob Eberle)에 의해 1971년에 개발된 창의력 증진 도구로, 기존 제품이나 서비스, 프로세스를 창의적으로 변형하여 새로운 아이디어를 도출하는데 사용된다. 이 기법은 기존의 것을 바탕으로 새로움을 창출한다는 전제하에, 다양한 관점에서 사물을 재해석하고 변형하는 방법을 제시한다. 스캠퍼는 대체하기, 결합하기, 조절하기, 변형하기, 용도 바꾸기, 제거하기, 역발상 및 재정리하기의 앞 글자를 조합한 단어로, 혁신을 위한 사고의 전환을 유도한다.

🌐 대체하기(Substitute)

이는 기존 요소를 다른 것으로 교체하는 것을 고려하는 과정이다. 예를 들면, 재료, 방법, 시간 등을 변경해 보는 것으로, 이는 새로운 가치나 기능을 발견할 수 있는 기회를 제공한다.

🌐 결합하기(Combine)

두 개 이상의 요소를 합쳐 새로운 형태나 기능을 창출하는 것이다. 다양한 요소의 결합은 기존에는 미처 발견하지 못한 새로운 가능성을 열어줄 수 있다. 이는 복합기처럼 여러 기능을 결합한 제품을 예로 들 수 있다.

🌐 적용하기(Adjust)

기존의 요소나 조건을 조정하여 새로운 환경이나 용도에 적합하게 만드는 과정이다. 이는 기존 제품이나 서비스를 다양한 상황에 맞출 수 있게 도와준다. 벨크로와 같이 자연에서 영감을 받아 다양한 용도로 활용하는 사례가 이에 해당한다.

⏺ 변형하기(Modify), 확대하기(Magnify), 축소하기(Minify)

제품이나 서비스의 색상, 크기, 형태 등을 변경하거나, 그것을 확대하거나 축소하여 새로운 가치를 창출하는 방법이다. 노트북이나 초소형 카메라는 이러한 사례 중 하나다.

⏺ 용도 바꾸기(Put to other uses)

기존 제품이나 서비스를 전혀 다른 방식으로 활용하는 것을 의미한다. 이는 기존에 생각하지 못했던 새로운 시장이나 용도를 발견할 수 있게 한다. 진흙을 피부미용에 사용하는 것은 이 방법의 실제 예이다.

⏺ 제거하기(Eliminate)

불필요한 요소나 기능을 제거함으로써, 더 간결하고 효율적인 제품이나 서비스를 만드는 과정이다. 때로는 제거를 통해 더 큰 가치를 창출할 수 있다. 무선 전화기나 오픈카는 제거를 통해 혁신이 달성된 사례이다.

⏺ 역발상·재정리하기(Reverse, Rearrange)

기존의 순서, 구성, 형식을 바꾸거나 재배열하여 새로운 관점이나 용도를 찾는 것이다. 이는 전통적인 사고의 틀을 깨고 새로운 아이디어를 창출하는 데 도움을 준다. 양문형 냉장고는 기존의 세로 배치에서 가로 배치로의 전환을 통해 새로운 사용자 경험을 제공한다.

스캠퍼 기법은 창의적 사고를 위한 훌륭한 출발점을 제공하며, 신상품 개발, 공정 혁신, 전략 수립 등 다양한 분야에서 효과적으로 활용될 수 있다. 이를 통해 기존의 제한된 관점을 넘어서 새로운 가능성을 모색하는 데 큰 도움이 된다.

2.2.2. 스캠퍼 연습하기

- 연습 1 : '퍼즐'을 주제로 스캠퍼 기법을 이용하여 새로운 아이디어를 적어보자.

S (substitute : 대체 - 재료바꾸기)
C (combine : 결합/조합 - 더하기)
A (adapt : 순응, 유연하게 변경, 적용, 응용 - 모방하기)
M (modify - magnify - minify : 수정, 확대, 축소 - 모양 바꾸기, 크게 하기, 작게하기)
P (put to other use : 새로운 용도, 용도 바꾸기)
E (eliminate : 제거, 축소 - 빼기)
R (rearrange-reverse : 재배열, 역전 - 거꾸로 하기)

- 연습 2 : '(   )'을/를 주제로 스캠퍼 기법을 이용하여 새로운 아이디어를 적어보자.

S (substitute : 대체 – 재료바꾸기)
C (combine : 결합/조합 – 더하기)
A (adapt : 순응, 유연하게 변경, 적용, 응용 – 모방하기)
M (modify – magnify – minify : 수정, 확대, 축소 – 모양 바꾸기, 크게 하기, 작게하기)
P (put to other use : 새로운 용도, 용도 바꾸기)
E (eliminate : 제거, 축소 – 빼기)
R (rearrange-reverse : 재배열, 역전 – 거꾸로 하기)

2.3. 디자인 씽킹

2.3.1. 디자인 씽킹이란?

디자인 씽킹은 디자인 과정에서 활용되는 창의적 전략이자, 전문적 디자인 관행을 넘어서 문제를 보다 넓은 시각에서 해결하기 위한 접근법이다. 이는 산업 및 사회적 문제에 적용되어 왔으며, 기술적 실행 가능성과 사용자 요구를 충족하는 사업 전략을 개발하는 데 중점을 둔다. 디자이너의 감각과 방법을 사용하여 고객 가치와 시장 기회를 창출하는 데 목표를 둔다.

디자인 씽킹의 핵심은 문제 기반 사고로, 이는 실용적이고 창의적인 해결책을 만들어내는 과정이다. 이 방법은 건설적인 미래 결과를 목표로 하며, 현재와 미래의 상황을 고려하여 다양한 대안적 해결책을 탐색한다.

이 접근법은 과학적 방법과 유사하게 가설 설정과 피드백 메커니즘에 의존하지만, 피드백의 출처가 다르다. 과학적 방법은 주로 관찰 증거에 기반한 피드백을 사용하는 반면, 디자인 씽킹은 소비자의 미래 제품에 대한 필요를 반영하는 피드백에 기반한다. 또한, 수학이나 물리학 이론에서의 피드백은 이론의 내부적 일관성이나 아름다움에 중점을 둔 반면, 디자인 씽킹은 현재의 알려지지 않은 상황을 탐색하고 대안적 해결책을 찾아내기 위한 방법이다.

상호적인 특성을 지닌 디자인 씽킹에서, 중간 단계의 해결책은 문제와 해결책이 공진화하는 과정에서 새로운 대안적 방향을 제시할 수 있는 출발점이 된다. 이는 지속적인 개선을 통해 최종적인 해결책에 이르는 과정을 의미한다.

디자인 씽킹은 일반적으로 다섯 가지 주요 단계로 구분된다.

- 공감(Empathize) : 사용자와 직접적으로 소통하며, 그들의 경험, 동기, 필요를 이해하려 노력한다. 관찰, 인터뷰, 경험의 재현을 통해 문제에 대한 심층적인 인사이트를 얻는다.

- 문제 정의(Define) : 공감 단계를 통해 얻은 정보를 바탕으로, 해결해야 할 핵심 문제를 명확하게 정의한다. 이 단계에서는 문제의 본질에 대해 명확하고 집중된 질문을 설정한다.

- 아이디어 도출(Ideate) : 문제 정의에 기반하여 가능한 많은 해결책을 도출한다. 이 단계에서는 창의성을 최대화하기 위해 비판 없이 다양한 아이디어를 자유롭게 발산한다.

- 프로토타입(Prototype) : 아이디어 도출 단계에서 선별된 아이디어를 구체적인 형태로 만든다. 프로토타입은 사용자에게 테스트하기 위한 초기 모델로, 간단하고 저렴하게 제작될 수 있다.

- 테스트(Test) : 프로토타입을 실제 사용자에게 테스트하여 피드백을 받는다. 테스트를 통해 솔루션을 개선하고, 필요에 따라 이전 단계로 되돌아가 아이디어를 재정의하거나 새로운 프로토타입을 만든다.

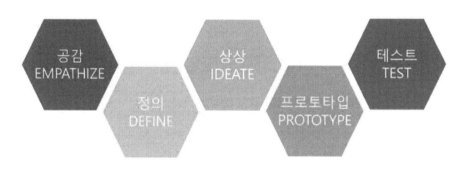

[그림] 디자인 씽킹 과정

2.3.2. 디자인 씽킹 예시

한국의 학교에서 발생하는 하루 942톤의 음식물 쓰레기 문제를 해결하기 위해 학생들이 디자인 씽킹 방법을 적용해 본 사례를 살펴보자.

• 1단계 : 공감하기

학생들은 음식이 많이 남는 이유를 알아보기 위해 일주일간 친구들의 행동을 관찰하고 질문을 던졌다. 이 과정에서 음식을 조금 적게 또는 많게 받는 상황을 발견했다.

• 2단계 : 문제 정의하기

관찰과 인터뷰를 통해 수집된 정보를 바탕으로 문제를 명확하게 정의했다. 학생들은 음식을 받을 때 원하는 양을 정확히 설명할 수 없었던 것이 음식이 남는 주된 원인임을 깨달았다.

• 3단계 : 아이디어 내기

브레인스토밍을 통해 학생들은 다양한 아이디어를 도출했고, 그중 가장 적합한 아이디어를 선정했다.

- 4단계 : 프로토타입 만들기

선택된 아이디어는 남은 음식의 무게를 재는 전자
식 판과 앱으로 구체화 되었다. 이들은 아이디어를
종이에 스케치하고 실제로 사용할 수 있도록 프로토
타입을 제작했다.

- 5단계 : 테스트 해보기

프로토타입은 실제 환경에서 테스트되었다. 예상과 달리 처음에는 음식물 쓰레기
가 줄어들지 않았지만, 학생들은 문제를 파악하고 해결책을 개선하는 과정을 반복
했다. 이 과정에서 식판에 선을 그어 양을 쉽게 측정할 수 있도록 하여 음식물 쓰
레기를 70% 감소시키는 성과를 얻었다.

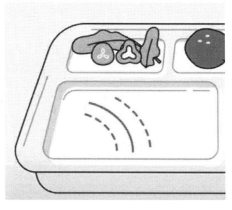

제 3 장 퍼즐 체험하기

3.1. T 퍼즐

3.1.1. T 퍼즐이란?

T 퍼즐은 네 조각의 특별한 모양으로 구성되어 있는데, 이는 한 개의 직각 이등변 삼각형, 두 개의 사다리꼴, 한 개의 불규칙한 오각형으로 이루어져 있다. 이 퍼즐의 유래는 1900년대 초반으로 거슬러 올라가며, 주로 제품 홍보 행사에서 활용되었다고 알려져 있다. 당시에는 T 퍼즐의 각 조각에 광고를 인쇄해 배포하고, 사람들이 이 조각들을 맞추면서 해당 제품에 대해 관심을 가지게 하거나, 특정한 모양을 성공적으로 만들어 내면 경품을 제공하는 방식으로 활용되었다.

T 퍼즐은 비록 간단하고 기본적인 형태를 가지고 있지만, 이를 통해 만들어낼 수 있는 다양한 모양들은 사실상 무한에 가깝다. 이러한 특징 덕분에 T 퍼즐은 창의력과 상상력을 발휘하며 문제 해결 능력을 기르는 데 아주 좋은 도구로 여겨져 왔다. 교육 현장은 물론 여러 창의성 훈련 프로그램에서도 자주 등장하는 이유이다. 따라서 T 퍼즐은 단순한 놀이 도구를 넘어서 교육적 가치가 높은 재료로 인식되고 있다.

3.1.2. T 퍼즐 도안

T 퍼즐의 도안은 다음과 같다. 이 도안을 이용하면 2개의 T퍼즐을 만들 수 있다.

3.1.3. T 퍼즐의 치수

T 퍼즐의 구체적인 치수는 다음과 같으며, 아래 그림은 a를 40mm로 가정하여 계산한 수치이다.

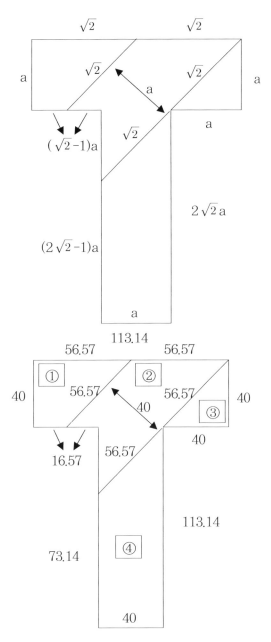

3.1.4. T 퍼즐 체험하기

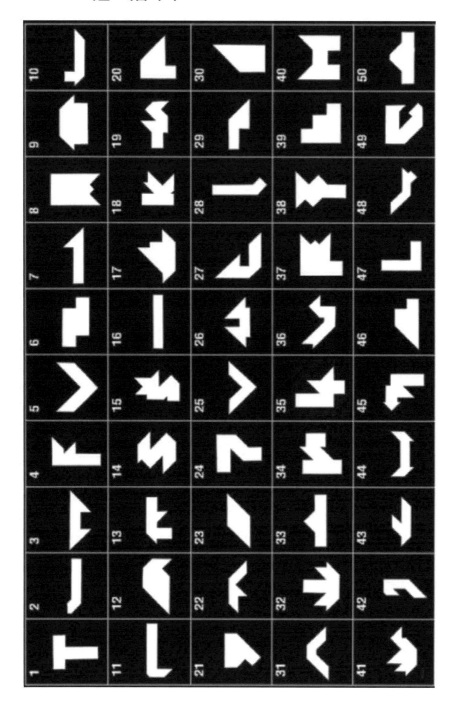

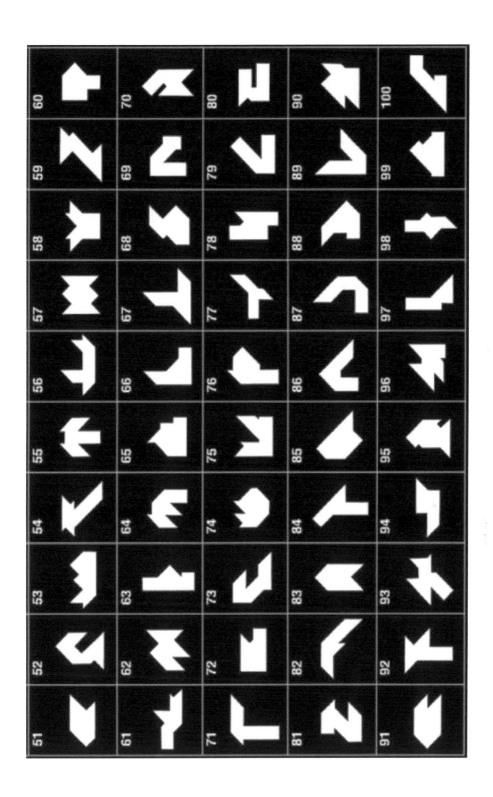

3.2. 소마 퍼즐

3.2.1. 소마 퍼즐이란?

소마 퍼즐은 7개의 입체 조각으로 구성된 3차원 입체 퍼즐이다. 이 조각들은 각기 다른 형태의 작은 정육면체 조합으로 만들어져 있으며, 사용자는 이들을 조합해 정육면체나 다양한 기하학적 형태를 만들어낼 수 있다. 1930년대에 발명된 이 퍼즐은 피에트 하인에 의해 고안되었고, 창의력과 공간적 사고 능력을 향상시키는 데 효과적인 교육 도구로 평가받고 있다. 소마 퍼즐은 각 조각을 이용해 만들 수 있는 형태가 240가지의 정육면체 해결 방법과 수천 가지의 다른 형태로의 확장성 때문에, 여러 세대에 걸쳐 많은 사람에게 사랑받고 있다.

3.2.2. 소마 퍼즐 만들기

소마 퍼즐을 만들기 위해 27개의 정육면체를 준비해야 한다. 이 정육면체들은 주로 목재이며, 때로는 각설탕을 이용하기도 한다. 이들 각 조각을 특정 모양대로 결합하여 퍼즐을 완성했다. 인터넷에서 종이를 이용한 소마 퍼즐 접는 방법을 쉽게 찾아볼 수 있어, 이 방법을 활용해 퍼즐을 만드는 경우도 있다. 최근에는 3D 모델링을 통해 비교적 간단히 소마 퍼즐을 디자인할 수 있으며, 이 디자인 파일을 3D 프린터로 출력하여 퍼즐로 제작할 수 있다.

27개의 정육면체 목재 및 목공풀을 이용하여 7개의 소마 퍼즐을 만들어 보자. 그리고 정육면체로 조립되었을 때 7개의 조각들을 쉽게 구분하여 조립상태를 한 눈으로 쉽게 볼 수 있도록 7개 조각의 모든 면에 각각의 번호를 적어둔다.

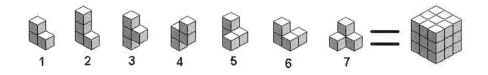

3.2.3. 소마 퍼즐 체험하기 1 - 다양한 모양 만들기

1	2	3	4	5
6	7	8	9	10
11	12	13	14	15
16	17	18	19	20
21	22	23	24	25
26	27	28	29	30

31	32	33	34	35

36	37	38	39	40

41	42	43	44	45

46	47	48	49	50

3.2.4. 소마 퍼즐 체험하기 2 - 정육면체 만들기

⊕ 다음 표를 보면서 그림과 같은 퍼즐을 완성해 보자.

• 연습1

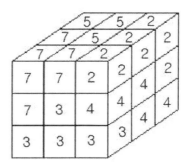

	3층	2층	1층
1열	552	662	114
2열	752	654	614
3열	772	734	333

😊 다음 그림을 보고 퍼즐을 완성한 후 옆의 표의 빈칸을 채워보자.

• 연습2

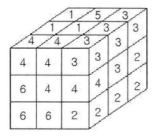

	3층	2층	1층
1열	153		772
2열	113	553	762
3열	443	644	662

• 연습3

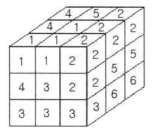

	3층	2층	1층
1열	452	755	776
2열			766
3열	112	432	333

제시된 표를 보고 퍼즐을 완성한 후 빈칸을 채워보자.

1번	3층	2층	1층
1열	333		774
2열	135	164	764
3열	155	254	222

2번	3층	2층	1층
1열		754	774
2열	264	154	755
3열	166	136	333

3번	3층	2층	1층
1열	333	755	775
2열	432		766
3열	222	411	461

4번	3층	2층	1층
1열	451		776
2열	411		766
3열	222	432	333

5번	3층	2층	1층
1열			355
2열	662	175	177
3열	642	644	174

6번	3층	2층	1층
1열	355	315	
2열	254	374	
3열	222	664	674

7번	3층	2층	1층
1열	422	442	342
2열	665		377
3열	655		371

8번	3층	2층	1층
1열	643	663	553
2열	644	573	577
3열			271

9번	3층	2층	1층
1열	553	563	
2열	112	573	
3열	142	442	

10번	3층	2층	1층
1열	522		662
2열			
3열	311	314	374

11번	3층	2층	1층
1열		552	522
2열	614	674	577
3열	311	334	374

12번	3층	2층	1층
1열	553		663
2열	511	673	277
3열	241	244	274

13번	3층	2층	1층
1열	655	665	222
2열	654	374	277
3열	311	314	

14번	3층	2층	1층
1열		244	222
2열	533	571	677
3열	553	661	

15번	3층	2층	1층
1열	665	655	
2열	465	473	
3열	113	413	473

16번	3층	2층	1층
1열	541	544	224
2열	551		
3열	663	633	273

17번	3층	2층	1층
1열	241		224
2열	511		677
3열	553		673

18번	3층	2층	1층
1열		265	255
2열	416		277
3열	113	433	

19번	3층	2층	1층
1열	466	265	
2열	436		277
3열		411	271

20번	3층	2층	1층
1열	443		222
2열			
3열	553		671

3.3. 전통 퍼즐

3.3.1. 전통 퍼즐 이란?

전통 퍼즐은 각각 동일한 길이를 가지며 그 단면이 정사각형인 6개의 사각 기둥에 특정 형태의 직사각형 홈을 만들어, 조립 시 3쌍의 사각 기둥이 3차원적으로 교차하도록 설계된 퍼즐이다. 이 구조는 전통 건축 기법에서 영감을 받아 개발되었으며, 각 기둥이 정교하게 맞물려 3차원 구조를 이루게 된다. 이러한 퍼즐은 공간적 사고 능력을 향상시키고, 기하학적 이해를 돕는 동시에, 전통적인 건축의 지혜를 현대적인 놀이와 교육에 접목시킨 예시로 볼 수 있다.

3.3.2. 개별 구조 및 완성 모습

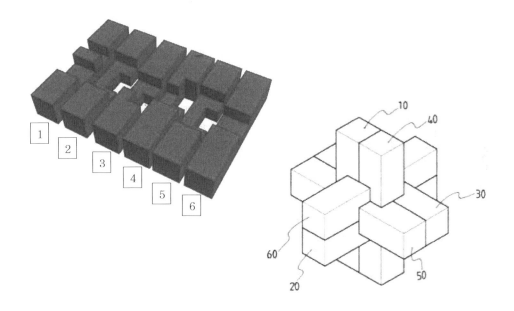

3.3.3. 퍼즐의 모양 파악하기

다음 글을 읽고 전통 퍼즐의 6개 모양의 구체적인 수치를 적어보자(예:a=2cm).

플라스틱이나 나무 또는 금속 등의 경질 재질로 형성되며 한 변의 길이가 'a'인 정사각형 단면을 갖는 6개의 사각기둥에 전통건축기법의 보와 기둥의 맞물림처럼 상호 맞물리도록 소정 형상의 홈을 형성하여 3쌍의 사각기둥이 3차원으로 교차되도록 하되, 상기 다수개의 사각기둥은 그 길이 방향을 폭으로 정의할 경우, 제 1 사각기둥(10)은 일측면의 중심을 기준으로 좌측으로 'a'만큼의 폭과 'a/2'만큼의 깊이를 갖는 홈(12)을 형성하고 상기 중심을 기준으로 우측으로 'a/2'만큼 떨어진 위치에 'a/2'만큼의 폭과 'a/2'만큼의 깊이를 갖는 홈(14)을 형성하고, 제 2 사각기둥(20)은 일측면 중심에는 '2a'만큼의 폭과 'a/2'만큼의 깊이를 갖는 홈(22)을 형성하고 상기 홈(22)의 축방향 중심선을 기준으로 우측 중심부에는 'a'만큼의 폭을 갖는 홈(24)을 형성하며, 제 3 사각기둥(30)은 일측면 중심에 'a'만큼의 폭과 'a/2'만큼의 깊이를 갖는 홈(32)을 형성하고 상기 홈(32)의 축방향 중심선을 기준으로 이분하여 우측부 중심으로부터 좌측으로 'a'만큼의 폭과 'a'만큼의 깊이를 갖는 홈(34)을 형성하고, 제 4 사각기둥(40)은 제 3 사각기둥(30)을 일측면 중심을 기준으로 하여 좌/우 대칭시킨 형상으로 형성하고, 제 5 사각기둥(50)은 상기 제 2사각기둥(20)과 동일한 형상으로 형성하며, 마지막 제 6 사각기둥(60)은 일측면 중심에 'a'만큼의 폭과 'a/2'만큼의 깊이를 갖는 홈(62)을 형성한 것을 특징으로 하는 전통건축기법을 응용한 퍼즐이다.

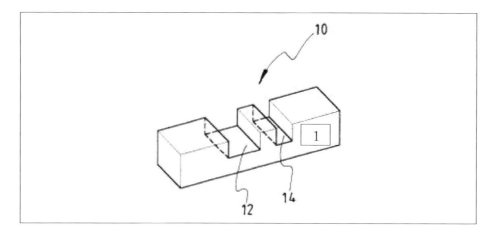

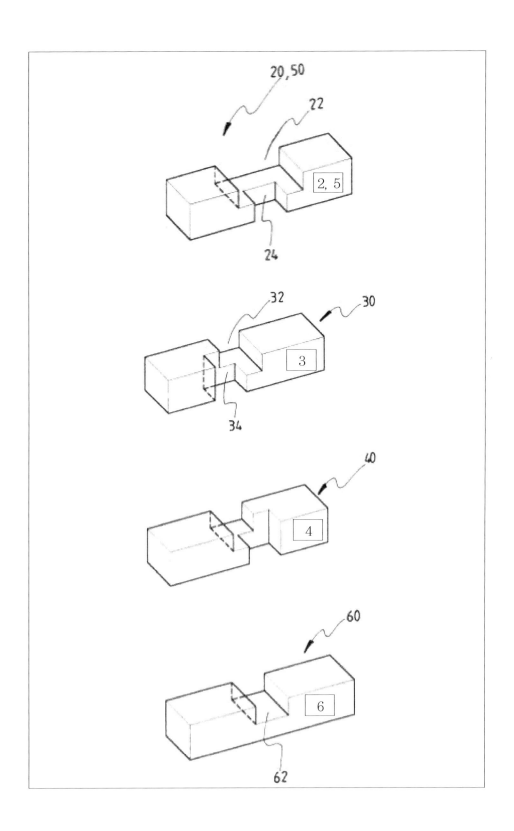

3.3.4. 조립 방법

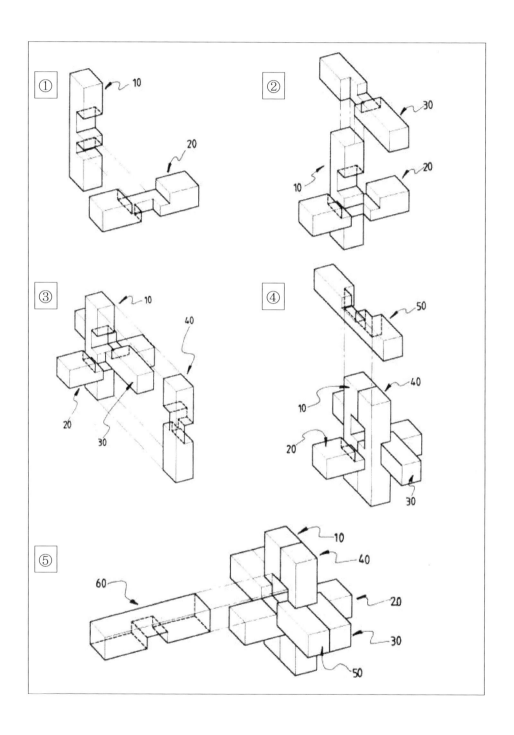

개요   Outline

문 제	십자퍼즐만들기		
문제코드	MT-PP-05	기술영역	제조기술
수 준	Level 2~3	문제영역	제작 문제
문제개요	설계도를 보고 우드락을 이용하여 십자퍼즐을 만들어 봄으로써 우드락의 성질을 이해하고 주어진 설계도면을 읽는 것과 그리는 능력을 배양함은 물론, 만들어진 십자퍼즐을 조립해봄으로써 흥미와 창의력을 신장시킬 수 있다.		

문제상황   Situation

두 물체를 결합할 때 무엇을 사용할까? 특히 집을 짓는다거나 건축을 할 때 연결부위에 무엇을 사용하는지 상상해 봤는가? 아마도 많은 사람들이 못을 떠올릴 것이다. 하지만 옛 조상들은 못을 사용하지 않고 한국의 전통 건축물의 연결부위에 사용되었다는 십자퍼즐을 우드락을 이용해 직접 만들고 조립해 봄으로써 연결구조물의 형상에 대하여 이해할 수 있고 또한 조상의 지혜를 배울 수 있다. 흔히 결합을 위해서는 못을 사용하는 것으로 알고 있지만 못을 사용하지 않는 방법이 있음을 체험할 수 있다.

도전과제   Challenge

자! 조상의 지혜를 체험할 준비는 되었는가?

못을 이용하지 않고 어떻게 여러 개의 물체가 결합될 수 있는지 알아보자.

여러분에게는 나무 대신 우드락이 주어진다. 구하기 쉽고 만들기 쉽고 또한 색깔이 다양한 우드락을 이용하여 십자퍼즐을 만들고 결합해 보자.

'쉽게 결합될 것이다!' 라는 생각은 금물이며 '엉성할 것이다!' 라는 생각은 교만이다.

겸손한 마음으로 임해보기를 권장한다.

준비물   Resource

품 명	규 격	단 위	수 량	단 가	소요액	준 비
우드락	900*600*11mm	장	1	2,500	2,500	교사
우드락 본드	100g	개	1	9000	10명에 1개	교사
칼						개별준비
자						개별준비
지우개						개별준비
연필						개별준비

실습 과정

- 먼저 우드락을 가로150mm와 세로 22mm로 잘라 12개를 만든다.
- 아래의 설계도면을 참고하여 우드락에 제도한다.
- 그려진 대로 우드락을 자른다.
- 잘려진 우드락은 그림과 같이 나열될 수 있다.

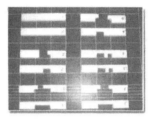

- 같은 번호의 우드락 두 개씩을 붙이면 아래와 같은 형상이 나올 것이다

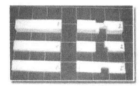 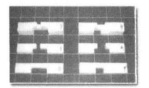

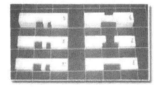

- 완성된 6개의 막대는 다음과 같은 형상이 된다.

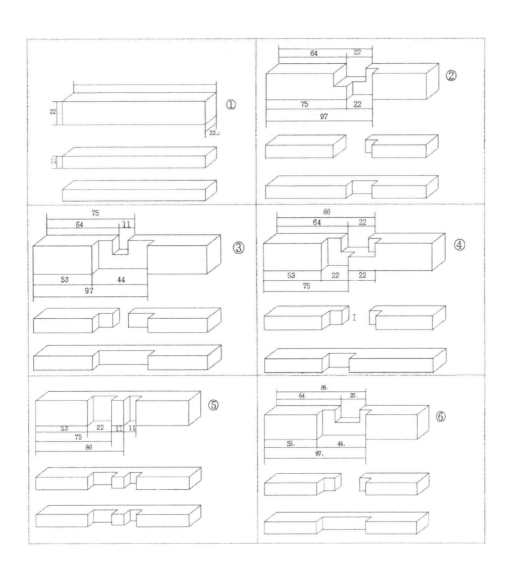

❊ 조립순서

5번을 작은 홈이 아래로 가게 해서 세로로 잡는다.

3번을 5번의 작은 홈에 끼워 수직이 되게한다.

2번을 짧은 쪽이 뒤로 가게 해서 처음의 앞뒤로 축이 되게 한다

4번의 홈이 안쪽으로 가게해서 수직으로 되어 있는 5번과 마주보게 한다.

6번을 홈이 위로가게 해서 앞뒤로 되어있는 2번과 마주보게 한다.

1번을 2번과 마주보게 끼운다.

- 우드락 본드의 접착 속도가 느리므로 붙이고 그대로 놔둔다.
- 칼을 조심스럽게 한다.(베일 염려가 많음)
- 칼질을 할 때는 항상 직각이 되게 한다.(나중에 조립이 잘 안될 수도 있음)

활동정리 및 평가 Evaluation

다음의 물음에 대해 답하시오.

못을 사용하지 않고 건축물이나 가구의 연결부위를 결합하는 그 외의 방법에 대하여 조사하여 보자.

나무를 이용하여 십자퍼즐을 제작할 때 나무결의 갈라짐을 막기 위해 주의해야 할 점은 무엇인지 조사하여 보자.

관련 도서 및 정보사이트 Book & Site

- 대구기술사랑연구회(http://www.itechedu.com/)

퍼즐로 체험하는 발명과 창의성

제 4 장 퍼즐로 익히는 기초제도

4.1. 정투상법

4.1.1. 정투상법이란?

정투상법은 물체를 공간의 네 개의 면각 내에 배치하고, 투상면에 직각으로 투영하여 그 형상을 나타내는 방법을 말한다. 이 방법에서는 물체의 각 면을 바라보는 시선을 나란하게 설정하여 물체를 표현한다. 즉, 물체의 모든 면을 직각으로 바라볼 수 있도록 하여, 물체의 정면, 측면, 윗면 등을 명확하게 나타낼 수 있게 하는 기법이다. 이는 주로 제품이나 건축 도면에서 사용되어, 복잡한 형상의 물체도 명확하고 정확하게 표현할 수 있도록 돕는다.

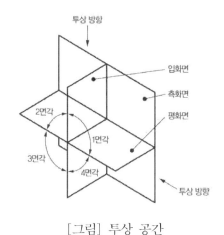

[그림] 투상 공간

투상면	정의
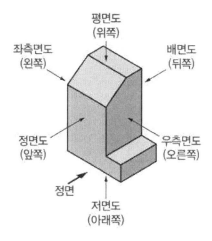 정면도　입화면	• 입화면 : 물체를 가장 잘 표현할 수 있는 앞쪽에서 바라본 모습을 나타내는 투상면이다. 이 면은 물체의 앞면을 수직으로 세운 투상면에 평행하게 투영하여 얻는다. 입화면은 물체의 전면적인 형태와 세부 사항을 가장 직관적으로 보여주는 데 중점을 둔다.
측화면　우측면도	• 측화면 : 물체의 측면을 나타내는 투상면으로, 물체의 옆 모습을 세워진 투상면에 투영한 결과이다. 측화면은 물체의 깊이와 측면에서의 세부 구조를 보여준다. 이는 주로 물체의 왼쪽 또는 오른쪽 면을 표현하며, 구체적인 위치는 도면의 명시에 따라 달라질 수 있다.
평면도　평화면	• 평화면 : 물체의 상단 모습을 나타내는 투상면으로, 물체의 위쪽을 수평으로 놓여 있는 투상면에 투영하여 얻는다. 평화면은 물체의 평면적인 형태와 상단에서 볼 수 있는 세부 요소들을 클리어하게 보여주는데 사용된다. 이는 물체의 외곽선, 평면 구조, 상단의 복잡한 세부 사항 등을 표현할 때 중요하다.

평면도
(위쪽)

좌측면도
(왼쪽)

배면도
(뒤쪽)

정면도
(앞쪽)

우측면도
(오른쪽)

정면

저면도
(아래쪽)

[그림] 정투상도의 명칭

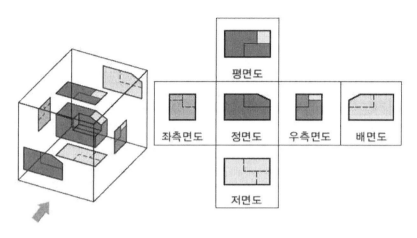

[그림] 정투상도의 명칭

4.1.2. 제3각법이란?

　제3각법은 대상물을 제3면각의 안쪽에 놓고 '눈 → 투상면 → 물체'의 순서로 평행하게 투상하는 방법이다. 이 방법에서는 정면도를 기준으로 하여, 상하좌우에서 보이는 물체의 형태를 그대로 나타낸다. 이에 물체의 구조를 이해하기 쉬워지며, 실제와 같은 형태로 도면에 표현되므로 직관적인 인식이 가능하다.

　한국에서는 산업 표준(KS)에 따라 도면을 제3각법을 사용하여 작성하는 것을 원칙으로 하고 있다. 이는 제3각법이 제공하는 명확성과 정확성 덕분에, 기계, 건축, 공학 등 다양한 분야에서 널리 활용된다. 제3각법에 의한 투상도와 도면의 명칭 및 배치는 해당 방법을 사용하는 도면이나 그림을 통해 확인할 수 있으며, 이는 물체나 구조물의 세부 사항을 정밀하게 표현할 수 있게 해 준다.

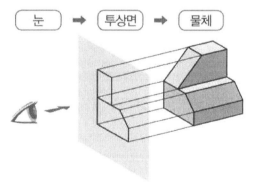

[그림] 제3각법의 눈, 투상면, 물체의 위치

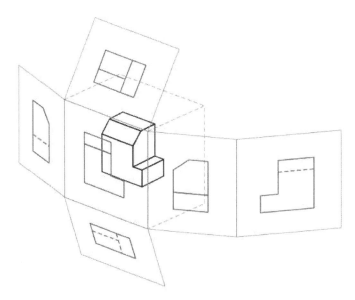

[그림] 제3각법에 의한 투상도

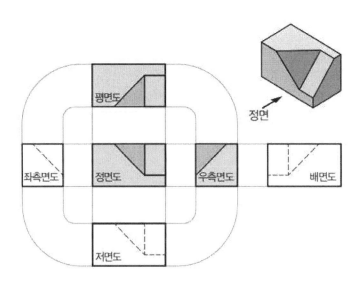

[그림] 제3각법에 도면의 명칭과 배치

4.1.3. 제3각법 연습(기존 방법)

※ 다음 물체를 제3각법으로 나타내보자.

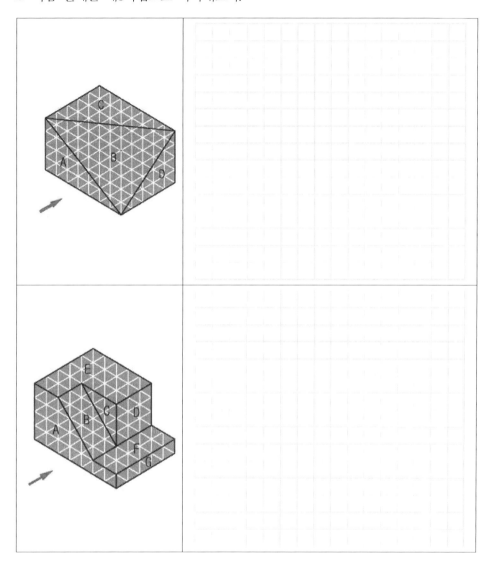

4.1.4. 제3각법 연습(소마 퍼즐)

※ 소마 퍼즐를 이용하여 다음 질문에 답하시오.

1. 오른쪽에 제시되어 있는 제3각법으로 왼쪽의 소마 퍼즐의 빈칸에 들어갈 숫자를 기입하시오.

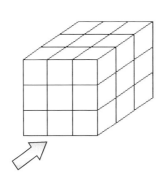

4	5	2
4	1	2
1	1	2

평면도

1	1	2
4	3	2
3	3	3

정면도

2	2	2
2	5	5
3	6	6

우측면도

2. 왼쪽 그림과 같이 소마 퍼즐을 꾸며보고, 오른쪽 표의 빈칸에 알맞은 숫자를 기입하시오.

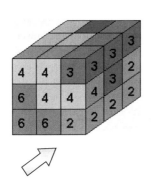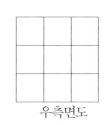

평면도

정면도

우측면도

3. 오른쪽에 제시되어 있는 제3각법으로 왼쪽의 소마 퍼즐의 빈칸에 들어갈 숫자를 기입하시오.

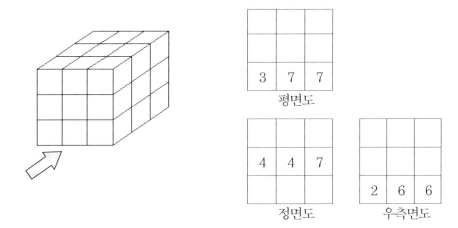

평면도

3	7	7

정면도

4	4	7

우측면도

2	6	6

4. 아래와 같이 소마 퍼즐의 정면을 만드시오. 정면을 변화시키지 않은 상태로 완성할 수 있는 소마 퍼즐의 경우를 2가지 이상 제시하시오.

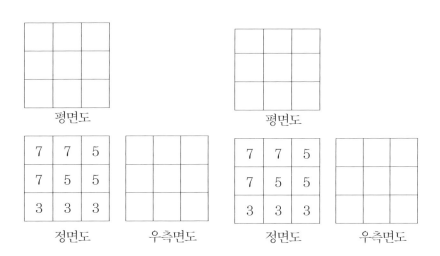

평면도

평면도

정면도

7	7	5
7	5	5
3	3	3

우측면도

정면도

7	7	5
7	5	5
3	3	3

우측면도

5. 다음 각 소마 퍼즐 조각을 제3각법으로 나타내시오(2배 확대하여).

조각	제3각법	조각	제3각법
1		5	
2		6	
3		7	
4			

※ 다음 정면도, 평면도, 우측면도를 보고, 소마 퍼즐을 이용하여 해당 입체를 만들어 보자.

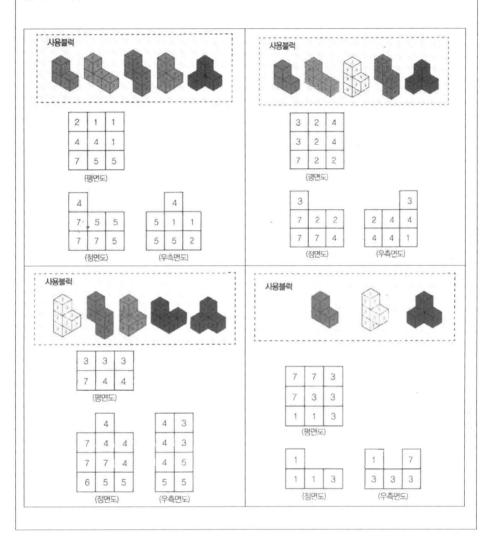

4.2. 등각 투상법

4.2.1. 등각 투상법란?

등각 투상법은 세 축이 서로 120°의 각을 이루는 기본 구조 위에, 물체의 높이, 너비, 깊이를 옮겨 그림으로써 정면, 평면, 측면을 하나의 투상면 위에서 동시에 볼 수 있도록 하는 그리기 방법이다. 이 방식에서는 하나의 투상도 내에 물체의 세 면이 모두 나타나기 때문에, 물체의 전체적인 모양과 구조를 이해하기가 매우 쉽다.

등각 투상법에서는 수평선에 대해 한 축이 수직으로 설정되고, 나머지 두 축은 각각 30°의 경사로 설정된다. 이에 삼각자와 같은 단순한 도구를 사용하여도 비교적 쉽게 정확한 도면을 그릴 수 있다. 등각 투상법은 물체를 입체적으로 표현할 수 있는 장점이 있으며, 특히 건축, 기계 부품, 소규모 객체 등의 디자인 과정에서 그 가치가 있다.

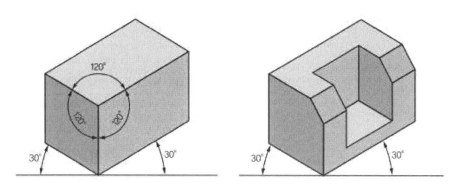

[그림] 등각 투상도의 축의 각도

4.2.2. 등각 투상도 그리는 방법

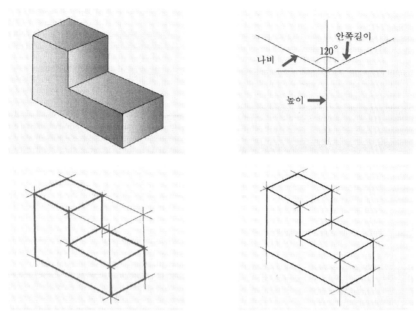

1. 기준점을 중심으로 수평선과 수직선이 교차하는 지점에서 출발하여, 높이를 수직선을 따라 설정한다.

2. 같은 기준점에서 출발하여, 수직선에 대해 오른쪽과 왼쪽으로 각각 30도의 각을 이루는 빗금을 그어, 이를 통해 너비와 깊이를 결정한다.

3. 이렇게 그린 높이, 너비, 깊이를 기준으로 하여, 정육면체의 나머지 외곽선을 해당 선들과 평행하게 그려 정육면체의 전체적인 형태를 완성한다.

4.2.3. 등각 투상법 연습(기존 방법)

※ 제3각법으로 그려진 정투상도를 이용하여 등각 투상도를 그려 보자.

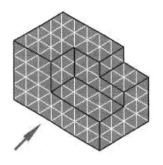

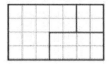

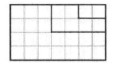

4.2.4. 등각 투상법 연습(소마 퍼즐)

※ 다음 각 소마 퍼즐 조각을 등각 투상도로 나타내시오(2배 확대하여).

조각	제3각법	조각	제3각법
1		5	
2		6	
3		7	
4			

4.3. 사투상법

4.3.1. 사투상법란?

사투상법은 물체의 정면을 실제 모습 그대로 표현하고, 각 꼭지점에서 출발하는 기준선과 일정한 각도를 유지하는 빗금을 평행하게 그어, 그 위에 물체의 깊이를 옮겨 그려 나타내는 방법이다. 이 방식은 물체의 전면적인 형상을 정확하게 보여주면서도, 물체의 깊이를 효과적으로 표현하기 위해 실제 깊이를 축소하여 그린다. 실제 깊이를 그대로 사용하면 정면에 비해 깊이가 과도하게 길게 보여, 물체의 실제 느낌이 제대로 전달되지 않을 수 있다. 따라서, 사투상법에서는 물체의 깊이를 실제 길이의 1/2이나 1/3로 축소하는 것이 일반적이다. 이를 통해, 물체의 전체적인 형태와 깊이를 더욱 실감나게 표현할 수 있으며, 특히 내부 구조가 복잡한 기계 부품이나 건축 요소의 도면 작성에 유용하게 사용된다.

4.3.2. 사투상도의 종류

경사각과 경사 방향, 안쪽 길이를 달리하면 다양한 사투상도를 작성할 수 있다.

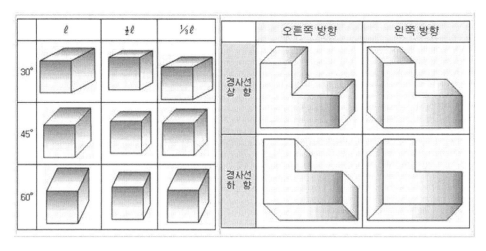

4.3.3. 사투상도 그리는 방법

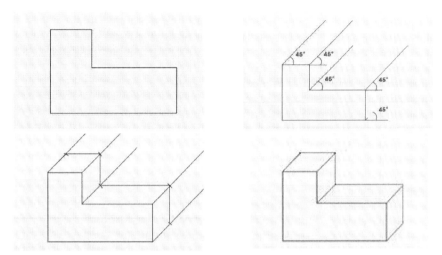

1. 물체의 정면을 그 실제 모습과 동일하게 그린다.

2. 밑변의 각 꼭지점에서 수평선을 기준으로 45도 각을 이루며 안쪽 길이를 표시한다.

3. 높이, 너비, 및 안쪽 길이를 따라서 외곽선을 평행하게 그린다.

4. 외곽선을 정밀하게 완성한 후, 내부의 가이드 라인을 지워서 도면을 깔끔하게 정리한다.

4.3.4. 사투상법 연습(기존 방법)

※ 제3각법으로 그려진 정투상도를 이용하여 사투상도를 그려 보자.

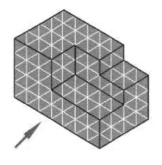
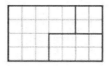
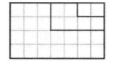

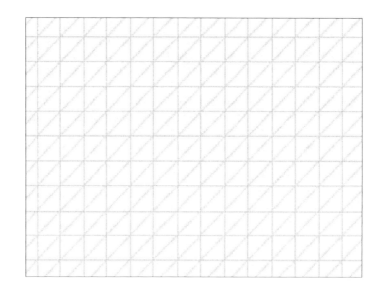

4.3.5. 사투상법 연습(소마 퍼즐)

※ 다음 각 소마 퍼즐 조각을 사투상도로 나타내시오(2배 확대하여).

조각	제3각법	조각	제3각법
1		5	
2		6	
3		7	
4			

제 5 장 퍼즐로 체험하는 3D 모델링

5.1. 틴커캐드를 활용한 3D 모델링

틴커캐드(Tinkercad)는 오토데스크(Autodesk)가 운영하는 웹 기반의 3D 디자인 및 모델링 도구이다. 간단한 드래그 앤 드롭 방식을 통해 사용자는 복잡한 설계 지식이 없이도 쉽게 3D 모델을 생성하고 수정할 수 있다.

틴커커드를 사용하여 퍼즐(예를 들어, 소마 퍼즐, T 퍼즐 등)을 모델링하는 활동은 교육적으로 여러 가지 이점을 제공한다. 이러한 활동은 학습자에게 공간 지각 능력 및 기술적 소양을 계발할 기회를 제공하며, 동시에 기본적인 3D 모델링과 디자인 원리를 학습하게 한다.

- 공간 지각 능력 : 퍼즐 모델링은 다양한 각도에서 객체를 보고 이해해야 하므로, 학습자의 공간 지각 능력을 크게 향상시킨다. 이는 학습자가 물리적 공간과 객체들 간의 관계를 더 잘 이해하고, 실생활 문제 해결에 이러한 능력을 적용할 수 있게 한다.
- 기술적 소양 : 틴커커드와 같은 3D 모델링 도구를 사용하는 경험은 학습자에게 중요한 기술적 소양의 증진 기회를 제공한다. 이는 학습자가 디지털 세계에서 필요한 리터러시를 개발하고, 미래 직업에서 요구되는 역량을 갖추는 데 도움이 된다.

| 문제 확인하기 |

다음의 정투상도를 보고 팅커캐드로 3차원 모델링을 해 보자.

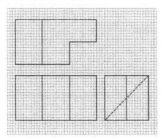

| 문제 해결 방법 알아보기 |

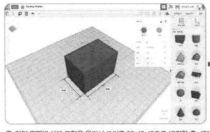
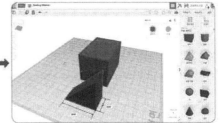

❶ 작업 평면에 상자 모형을 옮겨서 크기를 60×40×40으로 변경한 후, 쐐기 모형을 작업 평면으로 옮겨 크기를 40×20×40으로 변경한다.

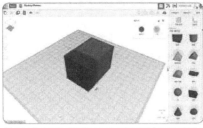
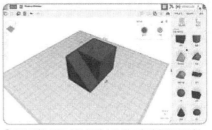

❷ 쐐기 모형을 오른쪽 위쪽에 있는 '반전(M)'을 이용하여 상하 대칭인 모양으로 바꾸고 모형의 특성을 구멍으로 바꾼다. 그리고 '정렬(L)'을 이용하여 그림과 같이 정렬한다.

❸ 전체 도형을 마우스 왼쪽 버튼을 누른 채 드래그하여 전체 선택 후, 오른쪽 위쪽에 있는 '그룹 만들기' 아이콘을 선택하면 그림과 같은 도형이 만들어진다.

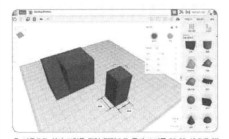
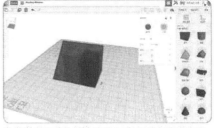

❹ 다음으로 상자 모형을 작업 평면으로 옮겨 크기를 20×20×40으로 변경한다.

❺ 20×20×40의 상자의 속성을 구멍으로 바꾼 후, '정렬(L)'을 이용하여 그림과 같이 정렬한다.

5.2. 소마 퍼즐 모델링

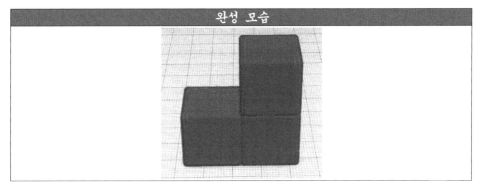

완성 모습

1. 왼쪽 상단의 '이름 변경'을 클릭하여 적절한 프로젝트 이름으로 수정한다.

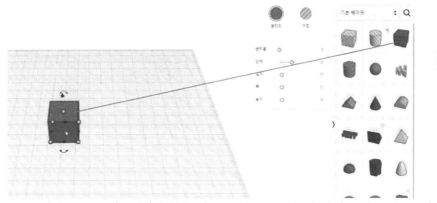

2. 오른쪽 '기본 쉐이프'에서 '상자'를 선택하여 작업 평면에 배치(드래그 앤 드롭)한다.

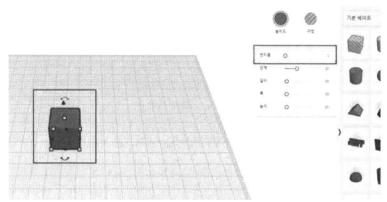

3. '상자'를 선택한 후 속성 창에서 '반지름'을 '1'로 설정한다.

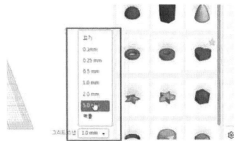

4. 오른쪽 하단의 '그리드 스냅'을 '5.0mm'로 선택한다. 이 기능을 선택하면 쉐이프를 선택하고 방향키를 누를 때 마다 5mm씩 이동한다.

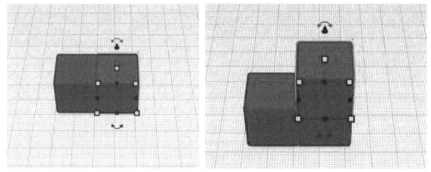

5. 'Ctrl + D'를 눌러 '복제 후 반복' 기능을 수행한 후 오른쪽 방향키를 눌러 복제한 '상자'를 오른쪽으로 이동시킨다.

6. 방금 복제한 '상자'를 클릭하여 선택한 후 'Ctrl + D'를 눌러 '복제 후 반복' 기능을 수행한 후 'Ctrl'키와 위쪽 방향키를 눌러 위쪽으로 배치한다. 나머지 소마 퍼즐도 동일한 방법으로 모델링한다.

5.3. T 퍼즐 모델링

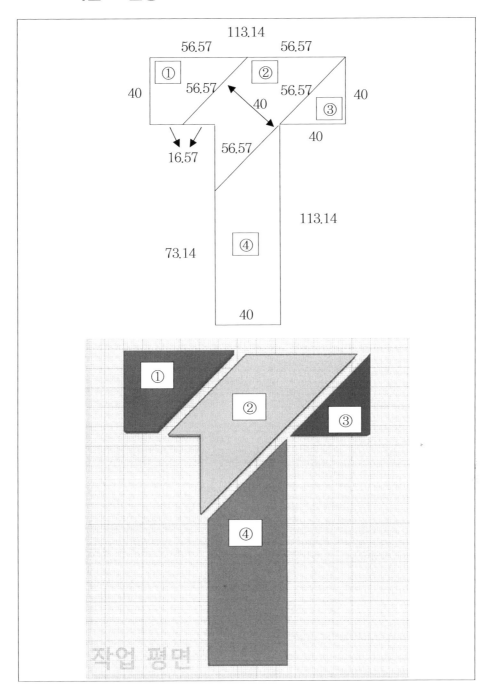

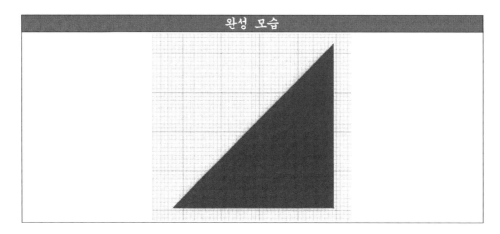

완성 모습

1. '쐐기' 쉐이프를 선택한 후 작업 평면에 배치한다.

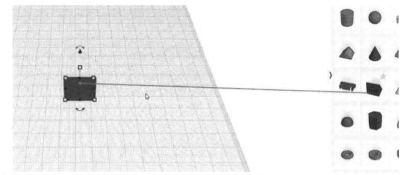

2. 쉐이프를 선택하고 방향 조절 버튼이 나타나게 한다.

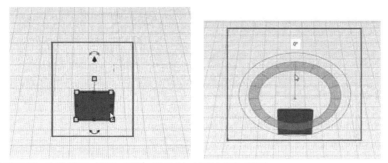

3. 두꺼운 파란색 원 내부로 클릭한 상태에서 적절히 드래그하여 쉐이프를 90° 회전시킨다.

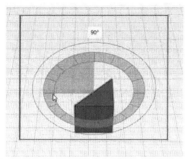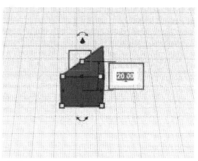

4. 위쪽 각도를 '90'으로 직접 입력해도 된다.

5. 쉐이프의 높이 조절점을 클릭한다. 그러면 수치를 직업 입력하여 높이를 수정할 수 있다.

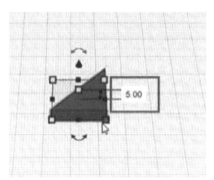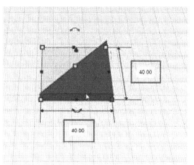

6. '5'를 입력하여 높이를 5mm로 지정한다.

7. 가로 세로의 길이를 40mm로 지정한다.

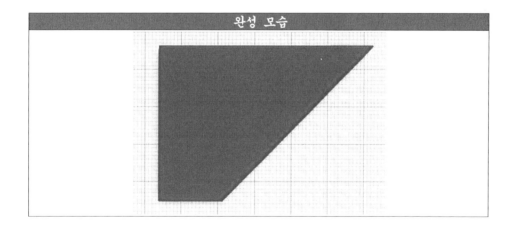

완성 모습

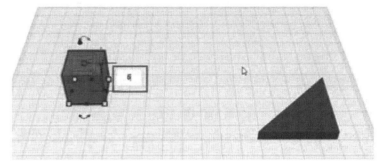

8. '상자' 쉐이프를 작업 평면에 드래그앤 드롭하고 높이를 5mm로 지정한다.

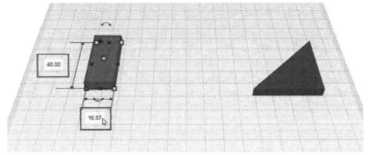

9. 가로 16.57mm, 세로 40mm로 지정한다.

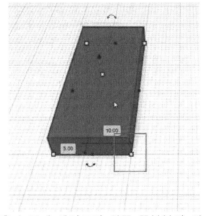

10. 쉐이프를 선택한 후 눈금에 쉐이프의 왼쪽 끝부분이 위치하도록 드래그한다.

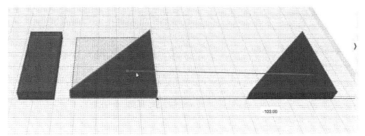

11. 앞서 만들어 놓은 '쐐기' 쉐이프를 복제하여 방금 만든 '상자' 쉐이프 옆에 위치시킨다.

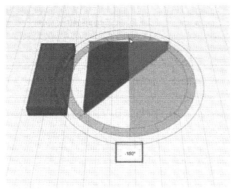

12. '쐐기' 쉐이프를 −180° 회전시킨다.

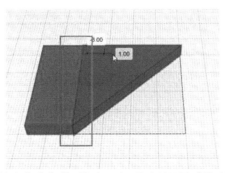

13. '상자' 쉐이프 옆면에 '쐐기' 쉐이프가 위치하도록 '쐐기' 쉐이프를 선택하고 마우스 커서로 이동시킨다.

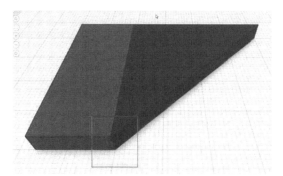

14. 'Ctrl'키와 마우스 휠을 이용하여 두 쉐이프의 면이 정확히 맞닿았는지 확인한다.

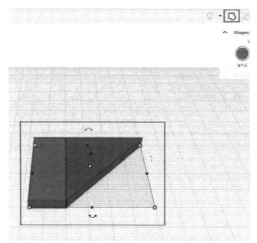

15. 두 쉐이프를 모두 선택한 후 상단의 '그룹화'를 선택하여 두 쉐이프를 하나로 만든다.

완성 모습
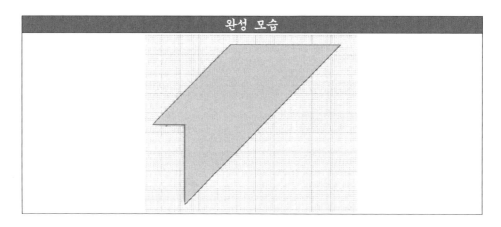

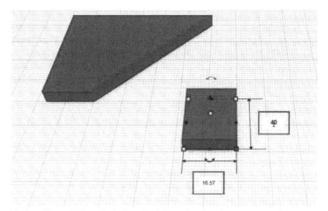

16. '상자' 쉐이프를 작업 평면에 배치한 후 높이 5mm, 가로 16.57mm, 세로 40mm로 지정한다.

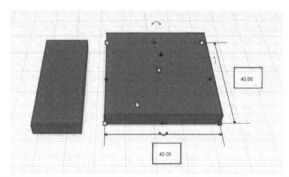

17. 다른 '상자' 쉐이프를 작업 평면에 배치한 후 높이 5mm, 가로 40mm, 세로 40mm로 지정한다.

18. 앞서 만든 '쐐기' 쉐이프를 3개 복제하여 적당한 위치에 배열한다.

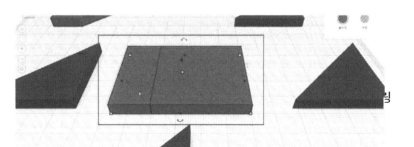

19. 두 개의 '상자' 쉐이프 각 면을 맞닿도록 한 후 그룹화한다.

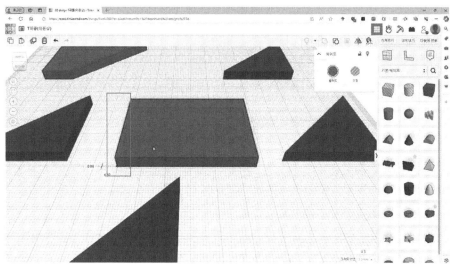

20. 그룹화된 '상자' 쉐이프를 방안지의 한 쪽 눈금면에 위치시킨다.

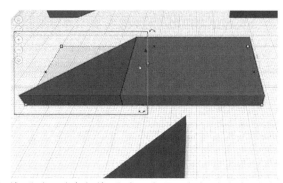

21. 복제한 '쐐기' 쉐이프와 '상자' 쉐이프의 두 면이 맞닿게 한다.

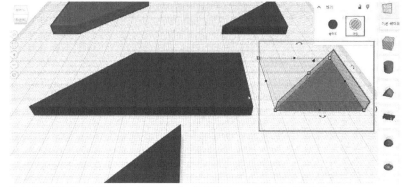

22. 오른쪽 '쐐기' 쉐이프를 선택한 후 '구멍'으로 속성을 변경한다.

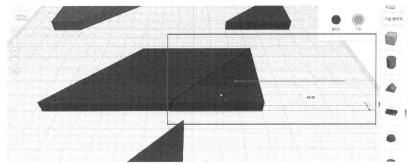

23. '구멍'으로 변경된 쉐이프를 오른쪽으로 이동시켜 앞서 만든 사다리꼴 쉐이프의 끝면과 일치시킨다.

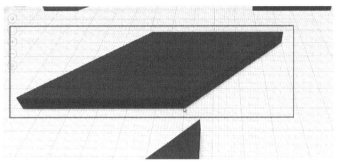

24. 두 쉐이프를 그룹화하여 구멍 쉐이프 부분을 삭제한다.

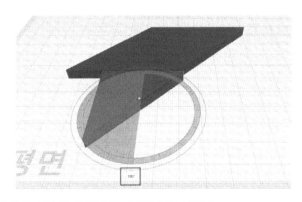

25. 하단에 복제한 '쐐기' 쉐이프를 180° 회전시킨다.

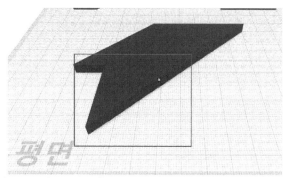

26. '쐐기' 쉐이프를 마우스 커서로 이동시켜 위쪽 평행 사변형 모양의 쉐이프와 맞닿게 하고 그룹화 한다.

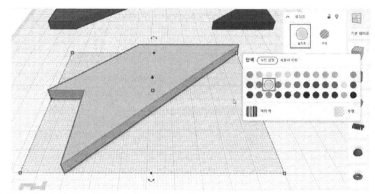

27. 쉐이프의 색상을 다른색으로 변경한다.

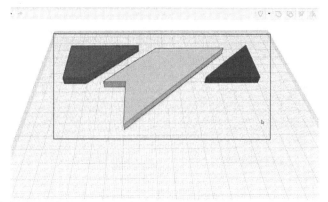

28. 지금까지 만든 쉐이프들을 정리하여 배치한다.

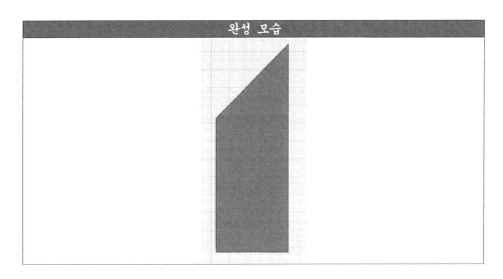

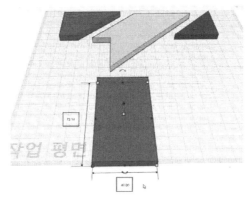

29. '상자' 쉐이프를 작업 평면에 배치한 후 높이 5mm, 가로 40mm, 세로 73.14mm로 지정한다.

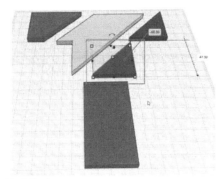

30. '쐐기' 쉐이프를 복사한다.

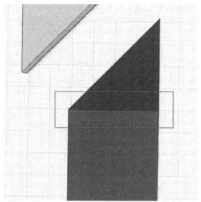

31. '쐐기' 쉐이프와 '상자' 쉐이프의 두 면이 맞닿게 한 후 그룹화 한다.

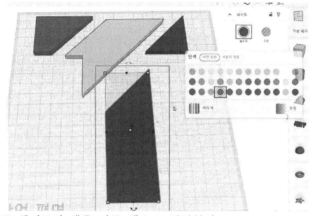

32. 방금 만든 쉐이프의 색을 다른 색으로 변경한다.

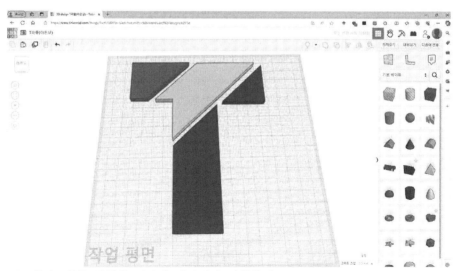

33. 쉐이프들을 적당한 위치에 배치하여 완성한다.

5.4. 전통 퍼즐 모델링

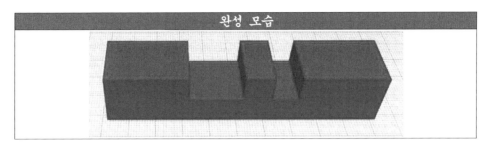

완성 모습

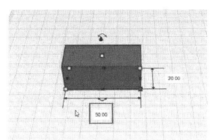

1. '상자' 쉐이프를 작업 평면에 드래그 앤 드롭 한 후 가로를 50mm로 지정한다.
높이 및 세로는 기본값인 20mm를 그대로 사용한다.

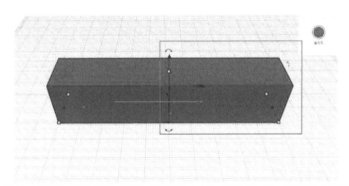

2. 방금 만든 '상자' 쉐이프를 'Ctrl+D'키를 눌러 복제한 후 오른쪽 방향키를 눌러
오른쪽으로 배치한다. 이를 통해 전체 가로 길이가 100mm인 '상자' 쉐이프를 만
든다. 두 쉐이프는 중앙 지점을 확인하기 위한 목적이므로 그룹화하지 않는다.

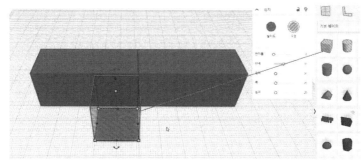

3. 작업 평면에 '구멍 상자'를 배치한다.

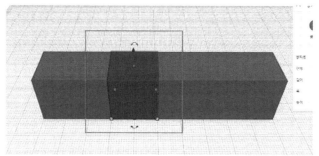

4. '구멍 상자'를 이전에 만든 '상자' 쉐이프의 중앙을 기준으로 왼쪽에 배치한다.

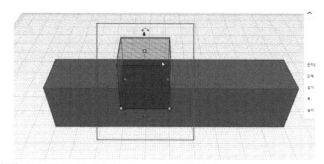

5. '구멍 상자' 쉐이프를 위쪽으로 5mm 이동시킨다.

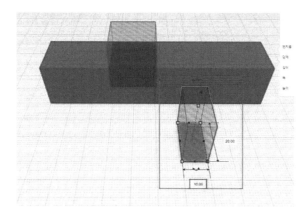

6. 다른 '구멍 상자'를 작업 평면에 배치하고 가로의 길이만 10mm로 지정한다.

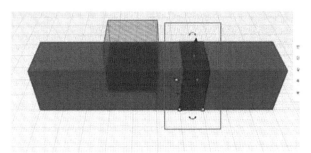

7. 방금 만든 쉐이프를 중앙으로부터 5mm 떨어진 지점으로 이동시킨다.

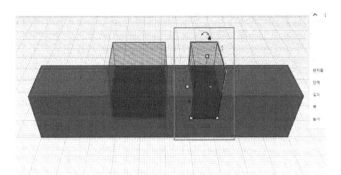

8. 이 쉐이프도 이전과 동일하게 위쪽으로 5mm 이동시킨다.

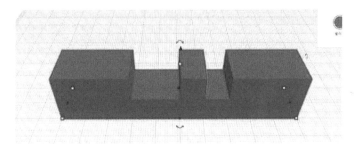

9. 모든 쉐이프들을 선택한 후 그룹화한다.

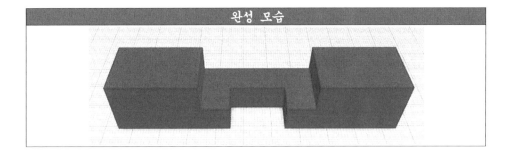

완성 모습

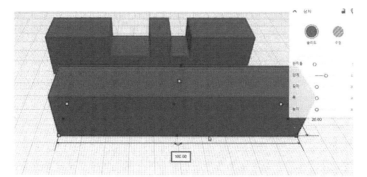

10. 다른 '상자' 쉐이프를 작업 평면에 배치하고 가로를 100mm로 지정한다.

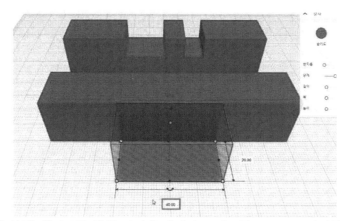

11. '구멍 상자' 쉐이프를 작업 평면에 배치하고 가로를 40mm로 지정한다.

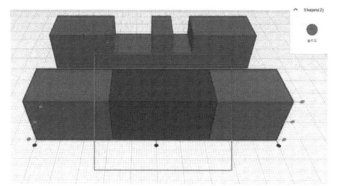

12. '구멍 상자' 쉐이프를 이전에 만든 '상자' 쉐이프의 중앙에 배치한다.

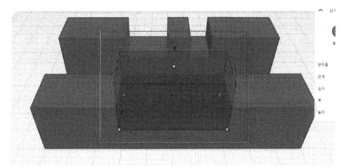

13. '구멍 상자' 쉐이프를 위쪽으로 5mm 이동시킨다.

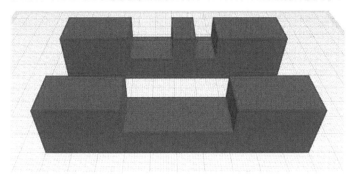

14. 두 쉐이프를 그룹화한다.

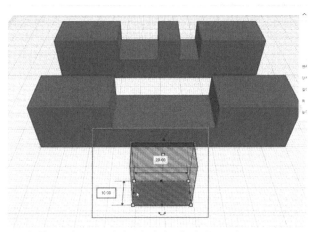

15. 다른 '구멍 상자' 쉐이프를 작업 평면에 배치하고 세로를 10mm로 지정한다.

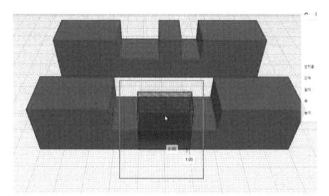

16. '구멍 상자' 쉐이프를 앞서 만든 쉐이프의 중앙 및 앞면 기준으로 배치한다.

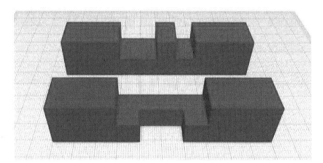

17. 이들 쉐이프를 그룹화하여 완성한다. 나머지 전통 퍼즐도 이러한 방법을 참조하여 모델링한다.

제 6 장 아두이노 자동차 만들기

6.1. 개요

아두이노를 이용한 자동차 만들기 프로젝트는 취미 생활에서부터 교육적 환경까지 다양한 분야에서 인기를 끌고 있다. 이 프로젝트를 통해 기본적인 프로그래밍 능력과 전자공학 지식을 실습하며, 창의적인 문제 해결 능력을 키울 수 있다. 아두이노 기반의 자동차는 2개의 기어드 모터를 이용해 움직이며 다양한 센서를 추가하여 환경을 인식하고 상호작용할 수 있다. 아두이노 자동차를 만들기 위한 기본 재료는 다음과 같다.

- 아두이노 보드 : 자동차의 뇌 역할을 하며, 모든 제어를 담당한다. 아두이노 우노 또는 나노가 주로 사용된다.
- 기어드 모터 : 자동차의 이동을 가능하게 하는 주요 구동 요소다. 2개의 모터가 각각 자동차의 좌우 바퀴를 제어한다.
- 모터 드라이버 : 아두이노에서 모터를 제어하기 위해 필요하다. 모터에 필요한 전력을 제공하고, 방향 전환을 가능하게 한다.
- 전원 공급 : 배터리 팩이나 충전식 배터리를 이용하여 자동차에 독립적인 전원을 공급한다.
- 섀시(기반 프레임) : 모터, 아두이노 보드, 배터리를 장착할 수 있는 기본 프레임이다.

- 센서 : 자동차가 주변 환경을 인식하고 상호작용할 수·있도록 돕는다. 초음파 센서, 적외선 센서, 광센서 등이 있다.

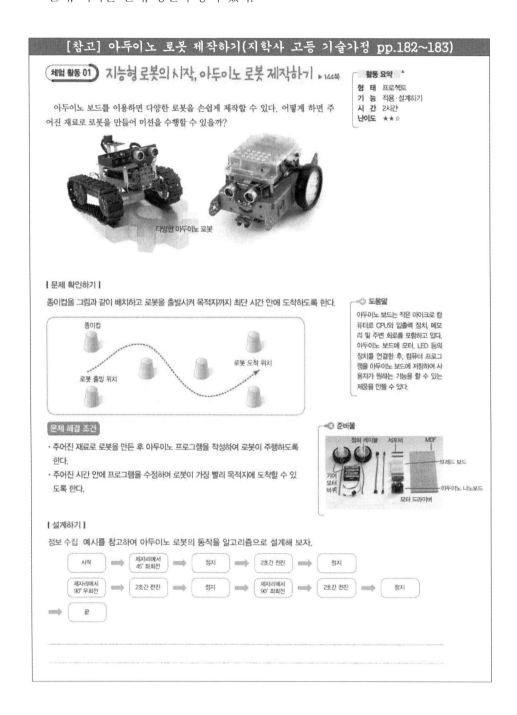

[참고] 아두이노 로봇 제작하기(지학사 고등 기술가정 pp.182~183)

체험 활동 01 지능형 로봇의 시작, 아두이노 로봇 제작하기 ▶144쪽

아두이노 보드를 이용하면 다양한 로봇을 손쉽게 제작할 수 있다. 어떻게 하면 주어진 재료로 로봇을 만들어 미션을 수행할 수 있을까?

활동 요약
형 태 프로젝트
기 능 적용·설계하기
시 간 2시간
난이도 ★★☆

다양한 아두이노 로봇

| 문제 확인하기 |

종이컵을 그림과 같이 배치하고 로봇을 출발시켜 목적지까지 최단 시간 안에 도착하도록 한다.

종이컵
로봇 도착 위치
로봇 출발 위치

도움말
아두이노 보드는 작은 마이크로 컴퓨터로 CPU와 입출력 장치, 메모리 및 주변 회로를 포함하고 있다. 아두이노 보드에 모터, LED 등의 장치를 연결한 후, 컴퓨터 프로그램을 아두이노 보드에 저장하여 사용자가 원하는 기능을 할 수 있는 제품을 만들 수 있다.

문제 해결 조건
· 주어진 재료로 로봇을 만든 후 아두이노 프로그램을 작성하여 로봇이 주행하도록 한다.
· 주어진 시간 안에 프로그램을 수정하여 로봇이 가장 빨리 목적지에 도착할 수 있도록 한다.

준비물
점퍼 케이블 서보퍼 MDF
기어 모터 바퀴
브레드 보드
아두이노 나노보드
모터 드라이버

| 설계하기 |

정보 수집 예시를 참고하여 아두이노 로봇의 동작을 알고리즘으로 설계해 보자.

시작 ⇒ 제자리에서 45° 좌회전 ⇒ 정지 ⇒ 2초간 전진 ⇒ 정지

제자리에서 90° 우회전 ⇒ 2초간 전진 ⇒ 정지 ⇒ 제자리에서 90° 좌회전 ⇒ 2초간 전진 ⇒ 정지

⇒ 끝

｜ 활동하기 ｜

1. 아두이노 로봇 제작하기

❶ MDF 아래쪽에 글루건을 이용하여 기어 모터를 붙인다.

❷ 모터 드라이버를 로봇 지지판 뒤쪽에 붙인다.

❸ 배터리 홀더를 붙인다.

❹ 브레드 보드를 결합한다.

❺ 서포터를 나사를 이용하여 결합한다.

❻ 브레드 보드에 아두이노 나노 보드를 결합한다.

❼ 모터의 전선을 모터 드라이버에 연결한다.

❽ 아두이노와 모터 드라이버를 점퍼선으로 연결한다.

❾ 완성된 로봇에 맞는 프로그램을 작성한다.

2. 로봇 작동을 위한 프로그래밍하기

아래의 프로그램은 3초 동안 전진 후 1초 동안 정지 상태를 반복하는 동작을 나타낸다. 이를 참고하여 새롭게 프로그래밍을 해 보자.

```
#define motorRightFront 3
#define motorRightRear 4
#define motorLeftFront 9
#define motorLeftRear 10

void setup( ) {
  pinMode(3, OUTPUT);
  pinMode(4, OUTPUT);
  pinMode(9, OUTPUT);
  pinMode(10, OUTPUT);
}

void loop( ) {
  digitalWrite(motorLeftFront, HIGH);
  digitalWrite(motorLeftRear, LOW);
  digitalWrite(motorRightFront, HIGH);
  digitalWrite(motorRightRear, LOW);
  delay(3000);

  digitalWrite(motorLeftFront, LOW);
  digitalWrite(motorLeftRear, LOW);
  digitalWrite(motorRightFront, LOW);
  digitalWrite(motorRightRear, LOW);
  delay(1000);
```

3. 미션 수행하기

로봇의 프로그램을 수정하면서 가장 빨리 목적지에 도착할 수 있도록 한다.

｜ 평가하기 ｜

활동을 평가해 보고, 느낀 점을 써 보자.

평가 항목	평가			활동 후 느낀 점
1. 친구들과 협동이 잘 이루어졌는가?	□ 잘함	□ 보통	□ 미흡	
2. 활동에 성실히 참여하였는가?	□ 잘함	□ 보통	□ 미흡	
3. 활동 후 정리·정돈을 잘하였는가?	□ 잘함	□ 보통	□ 미흡	
4. 프로그래밍을 정확하게 하였는가?	□ 잘함	□ 보통	□ 미흡	
5. 로봇이 임무를 잘 완수하였는가?	□ 잘함	□ 보통	□ 미흡	
6. 아두이노 로봇에 관해 많이 알게 되었는가?	□ 잘함	□ 보통	□ 미흡	

6.2. 준비물

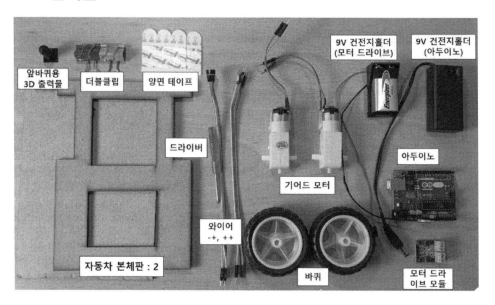

- 아두이노
- 모터드라이브 모듈
- 9V 건전지 및 건전지 홀더 총 2개
- 자동차 본체 MDF 총 2개
- 앞바퀴 역할 3D 출력물
- 기어드 모터 및 바퀴 세트 총 2개
- 더블클립 2개
- 양면테이프 4개
- 전선 (암-수) n개
- 전선 (수-수) n개
- 십자드라이버

6.3. 제작 과정

6.3.1. 자동차 차체 제작

1. 재료를 준비한다.

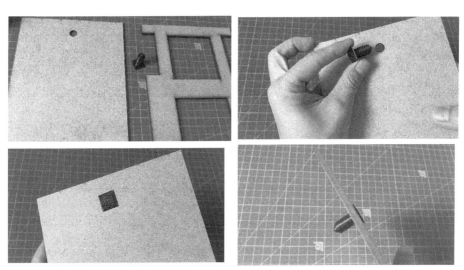

2. 앞바퀴 역할 3D 출력물을 끼운다.

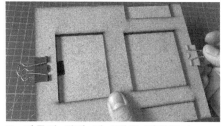

3. 자동차 차체 판 2개를 결합한다.

4. 바퀴와 기어드 모터를 결합한다.

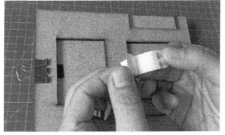
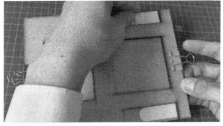

5. 양면 테이프로 차체와 바퀴를 결합한다.

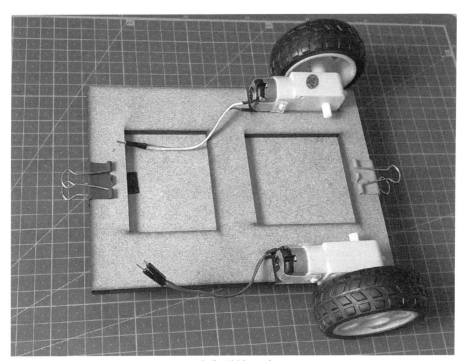

차체 완성 모습

6.3.2. 회로 구성

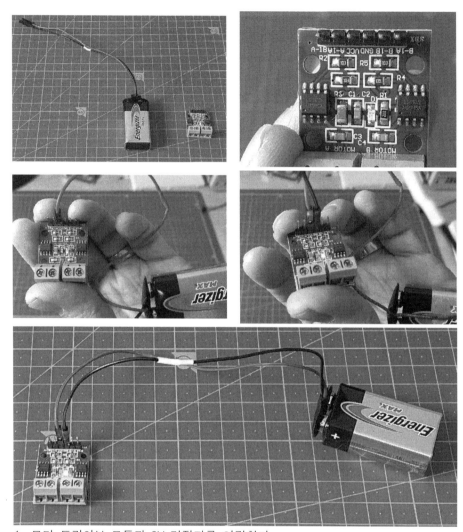

1. 모터 드라이브 모듈과 9V 건전지를 연결한다.

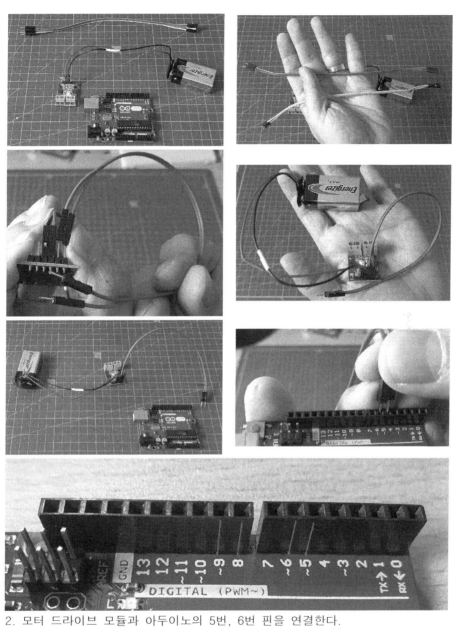

2. 모터 드라이브 모듈과 아두이노의 5번, 6번 핀을 연결한다.

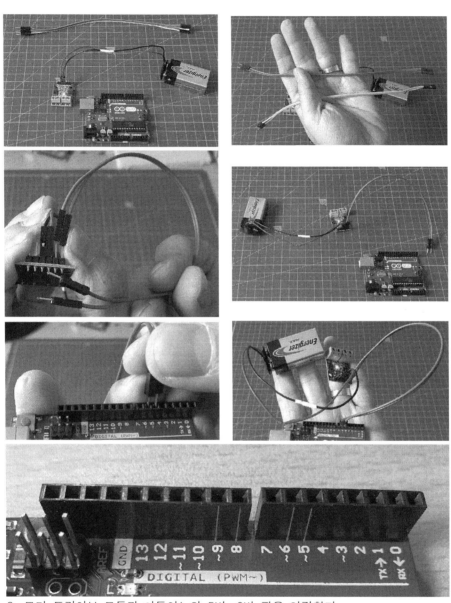

2. 모터 드라이브 모듈과 아두이노의 5번, 6번 핀을 연결한다.

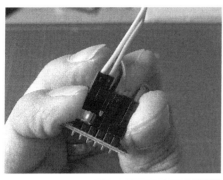
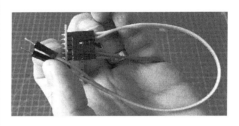

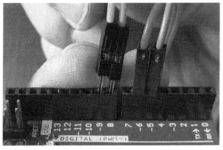
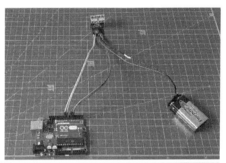

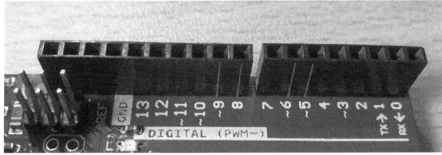

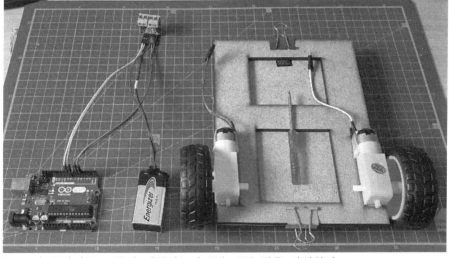

3. 모터 드라이브 모듈과 아두이노의 8번, 9번 핀을 연결한다.

4. 기어드 모터와 모터 드라이브 모듈을 연결한다.

6.3.3. 회로도

● 9V 건전지 - 모터 드라이브 모듈 연결

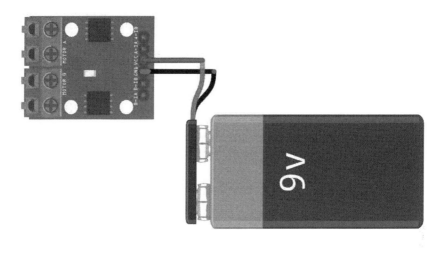

[참고] 아두이노를 이용한 5V 전원 공급

L9110 모터 드라이브 모듈의 경우 아두이노의 POWER 핀을 이용하여 5V 전압을 공급할 수도 있다. 이 경우 모터 드라이브 모듈을 위한 9V 건전지를 사용하지 않아도 된다.

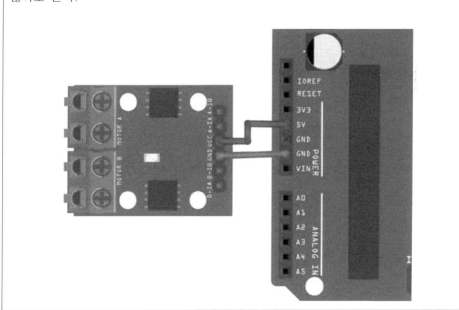

● 모터 A - 모터 드라이브 모듈, 아두이노 연결

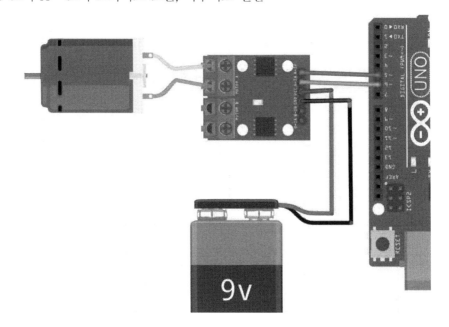

● 모터 B - 모터 드라이브 모듈, 아두이노 연결

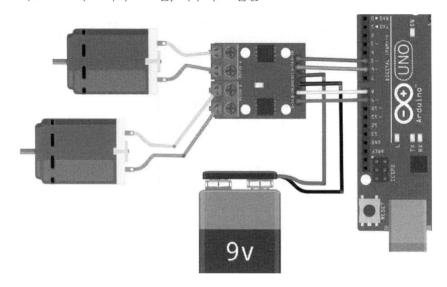

기어드 모터 및 L9110 모터 드라이브 모듈을 이용한 회로 구성 시 몇 가지 유의 사항을 살펴보면 다음과 같다.

- 기어드 모터는 양 끝이 핀이 있는 것으로 준비해야 한다.

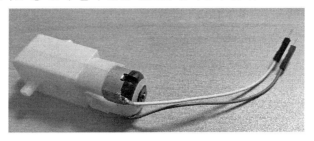

- 기어드 모터에 연결된 선이 끊어지지 않게 유의한다. 이 선은 납땜으로 모터와 연결되어 있어 쉽게 떨어질 수 있다.

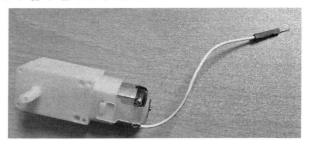

- 모터 드라이브 모듈과 기어드 모터를 연결하기 위해 + 드라이버를 준비한다.

6.3.4. 소스 코드

6.3.4.1. 예제

```
01  #define MA1 5
02  #define MA2 6
03
04  void setup() {
05    pinMode(MA1, OUTPUT);
06    pinMode(MA2, OUTPUT);
07
08    digitalWrite(MA1, HIGH);
09    digitalWrite(MA2, LOW);
10    delay(1000);
11
12    digitalWrite(MA1, LOW);
13    digitalWrite(MA2, LOW);
14  }
15
16  void loop() {
17  }
```

이 소스 코드는 L9110 모터 드라이브 모듈을 사용하여 모터를 제어하는 예제이다.

- 01-02줄 : #define MA1 5와 #define MA2 6은 모터의 제어 핀을 각각 아두이노의 5번과 6번 핀으로 정의한다.
- 05-06줄 : MA1과 MA2 핀을 출력 모드로 설정한다.
- 08-09줄 : MA1 핀을 HIGH로, MA2 핀을 LOW로 설정한다. 이는 모터가 한 방향으로 회전하도록 한다.
- 10줄 : 모터가 지정된 방향으로 1초 동안 회전하도록 한다.
- 12-13줄 : MA1과 MA2 핀을 둘 다 LOW로 설정한다. 이는 모터의 작동을 멈추게 한다.

⬤ 실행 결과

이 코드를 실행하면 모터는 1초 동안 한 방향으로 회전한 후 멈춘다. 이 예제는 모터를 간단히 테스트하거나 초기 설정을 확인하는 데 사용된다.

🔅 A 모터의 시계 방향 1초 회전

다음 소스 코드를 업로드 했을 때 A 모터가 시계 방향으로 1초간 회전한다고 가정해 보자.

```
digitalWrite(MA1, HIGH);
digitalWrite(MA2, LOW);
delay(1000);
```

🔅 A 모터의 반시계 방향 1초 회전

A 모터의 회전 방향을 반대로 하려면 다음과 같이 digitalWrite() 함수의 두 번째 매개변수를 앞의 예제와 반대로 한다.

```
digitalWrite(MA1, HIGH);
digitalWrite(MA2, LOW);
delay(1000);
```

🔅 A 모터의 정지

A 모터를 정지시키는 방법은 다음과 같이 digitalWrite() 함수의 두 번째 매개 변수를 모두 LOW로 하거나 HIGH로 한다.

```
digitalWrite(MA1, LOW);
digitalWrite(MA2, LOW);
```

```
digitalWrite(MA1, HIGH);
digitalWrite(MA2, HIGH);
```

🔅 소스 코드의 간소화

digitalWrite() 함수의 두 번째 매개 변수인 HIGH나 LOW를 1과 0으로 표현하면 소스 코드가 더욱 간단해진다. 다음은 08-13줄의 소스 코드를 이와 같은 방식으로 수정한 예이다.

```
digitalWrite(MA1, 1);
digitalWrite(MA2, 0);
delay(1000);

digitalWrite(MA1, 0);
digitalWrite(MA2, 0);
```

6.3.5. 체험 활동 1

다음과 같이 기어드 모터(DC 모터) 2개에 바퀴를 연결한 후 아래 그림과 같이 ㄷ자 코스를 주행하는 자동차의 소스 코드를 작성해 보자.

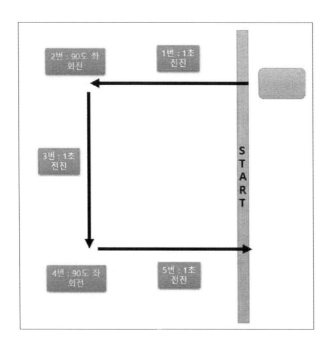

6.3.5.1. 예제

```
01  #define MA1 5
02  #define MA2 6
03  #define MB1 8
04  #define MB2 9
05
06  void setup() {
07    pinMode(MA1, OUTPUT);
08    pinMode(MA2, OUTPUT);
09    pinMode(MB1, OUTPUT);
10    pinMode(MB2, OUTPUT);
11
12    digitalWrite(MA1, 1); //전진
13    digitalWrite(MA2, 0);
14    digitalWrite(MB1, 1);
15    digitalWrite(MB2, 0);
16    delay(1000);
17
18    digitalWrite(MA1, 0); // 좌회전
19    digitalWrite(MA2, 1);
20    digitalWrite(MB1, 1);
21    digitalWrite(MB2, 0);
22    delay(600);
23
24    digitalWrite(MA1, 1); // 전진
25    digitalWrite(MA2, 0);
26    digitalWrite(MB1, 1);
27    digitalWrite(MB2, 0);
28    delay(1000);
29
30    digitalWrite(MA1, 0); // 좌회전
31    digitalWrite(MA2, 1);
32    digitalWrite(MB1, 1);
33    digitalWrite(MB2, 0);
34    delay(600);
35
36    digitalWrite(MA1, 1); // 전진
37    digitalWrite(MA2, 0);
38    digitalWrite(MB1, 1);
39    digitalWrite(MB2, 0);
40    delay(1000);
41
42    digitalWrite(MA1, 0); // 정지
43    digitalWrite(MA2, 0);
44    digitalWrite(MB1, 0);
45    digitalWrite(MB2, 0);
46  }
47
48  void loop() {
49  }
```

이 소스 코드는 아두이노에서 두 개의 DC 모터를 제어하는 예제이다. 여기서 MA1, MA2, MB1, MB2는 각각 두 모터의 제어 핀에 대응한다.

- 01-02줄 : #define MA1 5와 #define MA2 6은 첫 번째 모터의 제어 핀을 각 각 아두이노의 5번과 6번 핀으로 정의한다.

- 03-04줄 : #define MB1 8와 #define MB2 9는 두 번째 모터의 제어 핀을 각각 아두이노의 8번과 9번 핀으로 정의한다.
- 07-10줄 : MA1, MA2, MB1, MB2 핀을 출력 모드로 설정한다.
- 12-16줄 : A 모터(MA1, MA2)와 B 모터(MB1, MB2)를 한 방향으로 회전시키고, 1초 동안 유지한다. 두 모터의 회전 방향을 같게 하여 자동차가 전진하게 한다.
- 18-22줄 : A 모터는 이전 방향을 유지하고, B 모터의 방향을 반대로 하여 0.6초 동안 유지한다. 두 모터의 회전 방향이 다르기 때문에 자동차는 회전한다.
- 24-40줄 : 이러한 패턴을 반복하여 모터들을 특정 순서로 작동시킨다.
- 42-45줄 : A, B 두 모터 모두 작동을 멈춘다.

[참고] 모터 2개 제어 프로그래밍(자동차의 주행 방법)

모터 2개를 이용하고 적절히 프로그래밍하면, 자동차의 주행이 가능하다.

◉ 1초간 전진 코드

다음 소스 코드를 업로드했을 때 A, B 모터의 회전 방향을 조절(예 : A 모터-반시계 방향 회전, B 모터-시계 방향 회전)하여 1초간 전진한다고 가정해 보자.

```
digitalWrite(MA1, 1);
digitalWrite(MA2, 0);
digitalWrite(MB1, 1);
digitalWrite(MB2, 0);
delay(1000);
```

◉ 1초간 후진 코드

자동차를 후진하려면 다음과 같이 digitalWrite() 함수의 두 번째 매개변수를 앞의 예제와 반대로 한다.

```
digitalWrite(MA1, 1);
digitalWrite(MA2, 0);
digitalWrite(MB1, 1);
digitalWrite(MB2, 0);
delay(1000);
```

◉ 좌회전

자동차를 좌회전 하려면 다음 두 가지 방법이 있다.

❖ A모터를 정지시키고, B 모터는 전진(B 모터-시계 방향 회전)하게 하되 두 모터의 회전 지속 시간을 적절히 조절한다.

```
digitalWrite(MA1, 0);
digitalWrite(MA2, 0);
digitalWrite(MB1, 1);
digitalWrite(MB2, 0);
delay(600); // 모터의 회전 시간 조절
```

❖ A모터를 후진(A 모터-시계 방향 회전)시키고, B 모터는 전진(B모터-시계 방향 회전)하게 하되 두 모터의 회전 지속 시간을 적절히 조절한다.

```
digitalWrite(MA1, 0);
digitalWrite(MA2, 1);
digitalWrite(MB1, 1);
digitalWrite(MB2, 0);
delay(400); // 모터의 회전 시간 조절
```

6.3.6. 체험 활동 2

```
01 #define MA1 5                      30 void right() { // 우회전
02 #define MA2 6                      31   digitalWrite(MA1, 1);
03 #define MB1 8                      32   digitalWrite(MA2, 0);
04 #define MB2 9                      33   digitalWrite(MB1, 0);
05                                    34   digitalWrite(MB2, 1);
06 void forward() { // 전전           35   delay(500);
07   digitalWrite(MA1, 1);            36 }
08   digitalWrite(MA2, 0);            37
09   digitalWrite(MB1, 1);            38 void stop2() { // 정지
10   digitalWrite(MB2, 0);           39   digitalWrite(MA1, 0);
11   delay(1000);                    40   digitalWrite(MA2, 0);
12 }                                 41   digitalWrite(MB1, 0);
13                                    42   digitalWrite(MB2, 0);
14 void backward() { // 후진         43 }
15   digitalWrite(MA1, 0);            44
16   digitalWrite(MA2, 1);            45 void setup() {
17   digitalWrite(MB1, 0);            46   pinMode(MA1, OUTPUT);
18   digitalWrite(MB2, 1);            47   pinMode(MA2, OUTPUT);
19   delay(1000);                    48   pinMode(MB1, OUTPUT);
20 }                                 49   pinMode(MB2, OUTPUT);
21                                    50
22 void left() { // 좌회전           51   forward(); // 전진
23   digitalWrite(MA1, 0);            52   left();    // 좌회전
24   digitalWrite(MA2, 1);            53   forward(); // 전진
25   digitalWrite(MB1, 1);            54   left();    // 좌회전
26   digitalWrite(MB2, 0);           55   forward(); // 전진
27   delay(500);                     56   stop2();   // 정지
28 }                                 57 }
29                                    58
                                      59 void loop() {
                                      60 }
```

이 소스 코드는 사용하여 두 개의 DC 모터를 제어하여 자동차가 ㄷ자 코스를 주행하는 예제이다. 이전 소스 코드를 함수를 이용해 작성한 코드로 실행 결과는 이전과 동일하다.

- 01-04줄 : 모터 드라이버의 핀들에 대한 상수를 정의한다.
- 06-12줄 : forward() 함수로 자동차를 전진하는 코드를 정의하였다.
- 14-20줄 : backward() 함수로 자동차를 후진하는 코드를 정의하였다.
- 22-28줄 : left() 함수로 자동차를 좌회전하는 코드를 정의하였다.
- 30-36줄 : right() 함수로 자동차를 우회전하는 코드를 정의하였다.
- 38-43줄 : stop2() 함수로 자동차를 정지하는 코드를 정의하였다.
- 46-49줄 : 각 핀을 출력 모드로 설정한다.
- 51-56줄 : 정의한 함수들을 호출하여 차량이 특정 패턴으로 움직이게 한다.

6.3.7. 체험 활동 3

앞에서 회로 구성한 자동차를 이용하여 아래 그림과 같이 T자 코스를 주행하는 자동차의 소스 코드를 작성해 보자.

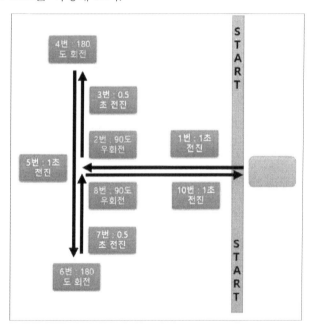

```
01 #define MA1 5                           33   digitalWrite(MB1, 1);
02 #define MA2 6                           34   digitalWrite(MB2, 0);
03 #define MB1 8                           35   delay(d);
04 #define MB2 9                           36 }
05                                         37
06 void forward(int a) {                   38 void stop2() {
07   digitalWrite(MA1, 1);                 39   digitalWrite(MA1, 0);
08   digitalWrite(MA2, 0);                 40   digitalWrite(MA2, 0);
09   digitalWrite(MB1, 1);                 41   digitalWrite(MB1, 0);
10   digitalWrite(MB2, 0);                 42   digitalWrite(MB2, 0);
11   delay(a);                             43 }
12 }                                       44
13                                         45 void setup() {
14 void backward(int b) {                  46   pinMode(MA1, OUTPUT);
15   digitalWrite(MA1, 0);                 47   pinMode(MA2, OUTPUT);
16   digitalWrite(MA2, 1);                 48   pinMode(MB1, OUTPUT);
17   digitalWrite(MB1, 0);                 49   pinMode(MB2, OUTPUT);
18 digitalWrite(MB2, 1);                   50
19   delay(b);                             51   forward(1000);
20 }                                       52   right(600);
21                                         53   forward(500);
22 void left(int c) {                      54   right(1100);
23   digitalWrite(MA1, 1);                 55   forward(1000);
24   digitalWrite(MA2, 0);                 56   right(1100);
25   digitalWrite(MB1, 0);                 57   forward(500);
26   digitalWrite(MB2, 1);                 58   right(600);
27   delay(c);                             59   forward(1000);
28 }                                       60   stop2();
29                                         61 }
30 void right(int d) {                     62
31   digitalWrite(MA1, 0);                 63 void loop() {
32   digitalWrite(MA2, 1);                 64 }
```

이 소스 코드는 두 개의 DC 모터를 사용하여 움직임(전진, 후진, 좌회전, 우회전)을 제어하는 예제이다. 소스 코드의 기본 구조와 동작은 이전에 제시한 설명과 유사하다. 그러나 이 버전에서는 각 움직임 함수에 대해 지속 시간을 결정하는 매개변수가 추가되었다. 이는 반환값이 없고, 매개변수는 있는 함수이다.

- 01-04줄 : 모터 드라이버의 핀들에 대한 상수를 정의한다.
- 06-12줄 : forward() 함수는 자동차를 전진하는 코드로 매개변수 a는 지연 시간을 지정한다. digitalWrite() 함수로 모터의 회전 방향을 설정하고, delay(a)로 지정된 시간 동안 전진한다.
- 14-43줄 : 같은 방식으로, backward(), left(), right(), stop2() 등의 함수를 정의하였다.

퍼즐로 체험하는 발명과 창의성

제 7 장 관련 특허 확인하기

7.1. 전통 퍼즐

7.1.1. 개요

- 고안의 명칭 : 전통건축기법을 응용한 퍼즐
- 등록번호 : 20-0183799
- 출원일자 : 1999년 10월 06일
- 등록일자 : 2000년 03월 17일

7.1.2. 요약

본 고안은 퍼즐에 관한 것으로, 한변의 길이가 'a'인 정사각형 단면을 갖는 6개의 사각기둥에 전통건축기법의 보와 기둥의 맞물림처럼 상호 맞물리도록 소정형상의 홈을 형성하여 3쌍의 사각기둥이 3차원으로 교차되도록 한 것으로, 퍼즐 이용자의 지능개발과 함께 오락의 효과를 얻도록 한 것이다.

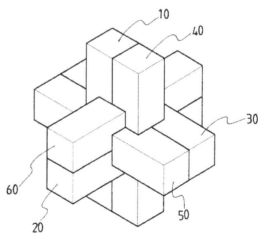

7.1.3. 청구 범위

⬤ 청구항 1

　플라스틱이나 나무 또는 금속 등의 경질 재질로 형성되며 한 변의 길이가 'a'인 정사각형 단면을 갖는 6개의 사각기둥에 전통건축기법의 보와 기둥의 맞물림처럼 상호 맞물리도록 소정 형상의 홈을 형성하여 3쌍의 사각기둥이 3차원으로 교차되 도록 하되, 상기 다수개의 사각기둥은 그 길이 방향을 폭으로 정의할 경우, 제 1 사각기둥(10)은 일측면의 중심을 기준으로 좌측으로 'a'만큼의 폭과 'a/2'만큼의 깊이를 갖는 홈(12)을 형성하고 상기 중심을 기준으로 우측으로 'a/2'만큼 떨어진 위치에 'a/2'만큼의 폭과 'a/2'만큼의 깊이를 갖는 홈(14)을 형성하고, 제 2 사각 기둥(20)은 일측면 중심에는 '2a'만큼의 폭과 'a/2'만큼의 깊이를 갖는 홈(22)을 형성하고 상기 홈(22)의 축방향 중심선을 기준으로 우측 중심부에는 'a'만큼의 폭 을 갖는 홈(24)을 형성하며, 제 3 사각기둥(30)은 일측면 중심에 'a'만큼의 폭과 'a/2'만큼의 깊이를 갖는 홈(32)을 형성하고 상기 홈(32)의 축방향 중심선을 기준 으로 이분하여 우측부 중심으로부터 좌측으로 'a'만큼의 폭과 'a'만큼의 깊이를 갖 는 홈(34)을 형성하고, 제 4 사각기둥(40)은 제 3 사각기둥(30)을 일측면 중심을 기준으로 하여 좌/우 대칭시킨 형상으로 형성하고, 제 5 사각기둥(50)은 상기 제 2 사각기둥(20)과 동일한 형상으로 형성하며, 마지막 제 6 사각기둥(60)은 일측면 중 심에 'a'만큼의 폭과 'a/2'만큼의 깊이를 갖는 홈(62)을 형성한 것을 특징으로 하 는 전통건축기법을 응용한 퍼즐이다.

7.1.4. 도면

도면 1a	도면 1b
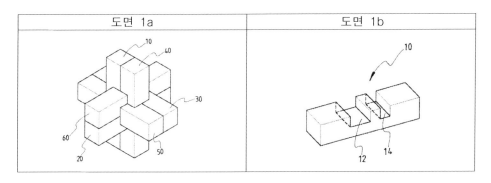	

도면 1c	도면 1d
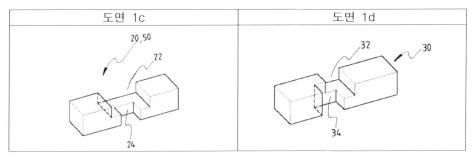	

도면 1e	도면 1f
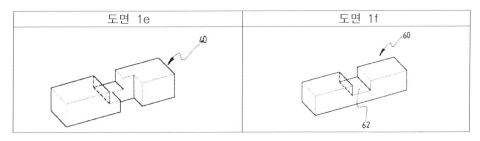	

도면 2a	도면 2b
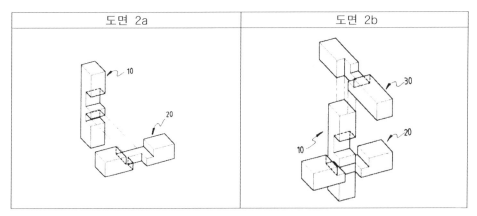	

도면 2c	도면 2d

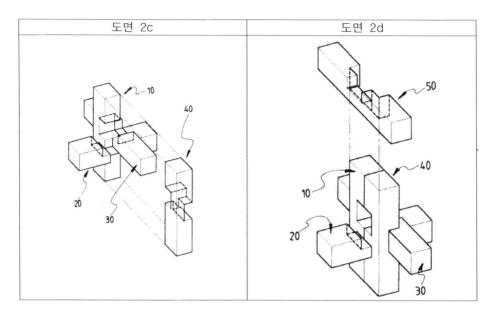

도면 2e

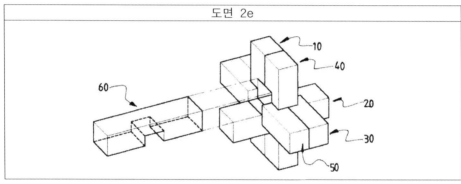

퍼즐로 체험하는 발명과 창의성

7.2. 소마 퍼즐

7.2.1. 개요

- 발명의 명칭 : 공간지각 능력 향상을 위한 소마 퍼즐
- 등록번호 : 10-1014500
- 출원일자 : 2008년 10월 07일
- 등록일자 : 2011년 02월 07일

7.2.2. 요약

  본 발명은 7가지 종류의 입체 블록을 이용해 하나의 정육면체를 만드는 소마 퍼즐에 관한 것으로, 서로 다른 숫자가 기재된 블록과, 소마 퍼즐이 이루는 정육면체의 각층의 번호가 기재된 퍼즐판을 가지고 다양한 방법으로 소마 퍼즐을 조립하는 과정을 통해 아이들에게 창의력, 성취감, 지능발달, 특히 공간지각능력의 향상에 도움을 줄 수있는 소마 퍼즐에 관한 것이다.

  이를 위해 본 발명은 각각의 면에 하나의 숫자가 표기된 7가지의 다른 모양을 갖는 블록(10)과; 상기 블록(10)을 이용하여 3x3x3의 정육면체로 조립될 수 있는 층과 열의 숫자 조합이 표기된 다수의 퍼즐판(20)으로 구성된 것을 기술적 특징으로 한다.

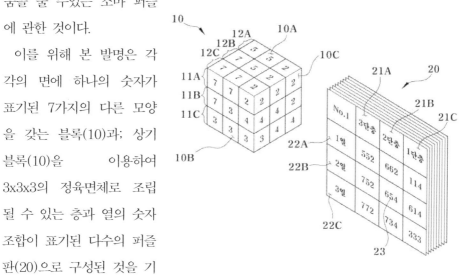

7.2.3. 청구 범위

● 청구항 1

7가지의 블록으로 이루어진 소마 퍼즐 교구에 있어서,

각각의 면에 하나의 숫자가 기재된 7가지의 다른 모양을 갖는 블록(10);

상기 블록(10)을 이용하여 3x3x3의 정육면체로 조립될 수 있는 층과 열의 숫자 조합이 기재된 다수의 퍼즐판 (20)을 포함하며,

상기 퍼즐판(20)은 블록(10)의 높이에 따라서 구분되는 1, 2, 3단층 (21A,21B,21C); 상기 1, 2, 3단층 (21A,21B,21C)에서 먼 곳으로부터 가까운 곳으로 구분되는 1, 2, 3열(22A,22B,22C); 상기 1, 2, 3단층 (21A,21B,21C) 및 상기 1, 2, 3열(22A,22B,22C)이 만나는 부분에 해당 블록에 새겨진 3자리의 숫자가 기재되는 숫자 기재부(23)로 구성되는 것을 특징으로 하는 공간지각 능력 향상을 위한 소마 퍼즐.

● 청구항 3

청구항 1에 있어서,

상기 퍼즐판(20)은 정육면체를 이루는 블록(10)의 숫자를 유추할 수 있도록 1개 이상의 공란(23A)이 형성된 것을 특징으로 하는 공간지각 능력 향상을 위한 소마 퍼즐.

● 청구항 4

청구항 1 또는 청구항 3에 있어서,

숫자가 기재된 블록교구가 정육면체로 조립되어 3면이 보이도록 입체 도시된 그림 또는 사진이 구비된 다수의 블록카드(30)가 더 구비되는 것을 특징으로 하는 공간지각 능력 향상을 위한 소마 퍼즐.

● 청구항 5

청구항 1 또는 청구항 3에 있어서,

상기 블록(10)은 각 면에 기재된 숫자가 탈부착 가능하도록 된 블록(15)인 것을 특징으로 하는 공간지각 능력향상을 위한 소마 퍼즐.

7.2.4. 도면

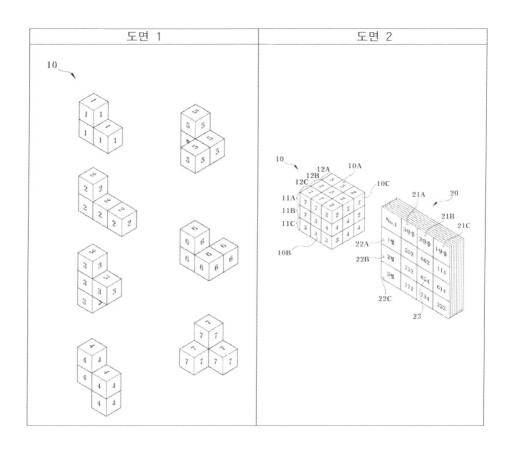

도면 3	도면 4

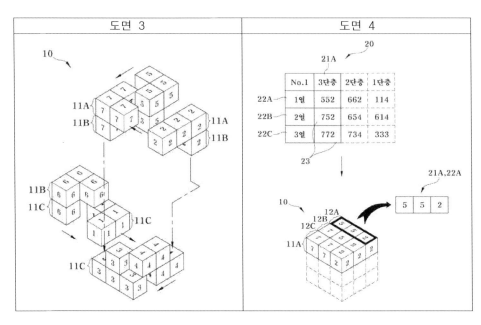

도면 5	도면 6

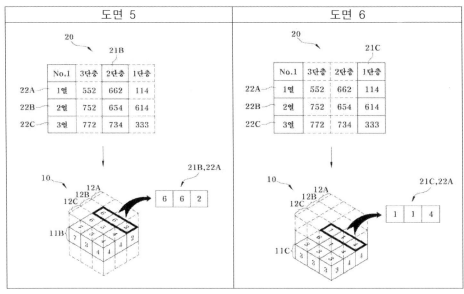

도면 7	도면 8

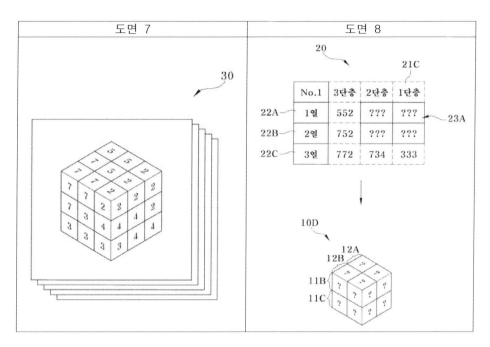

30

20

21C

No.1	3단층	2단층	1단층
1열	552	???	???
2열	752	???	???
3열	772	734	333

22A
22B
22C

23A

10D

12A
12B
11B
11C

도면 9

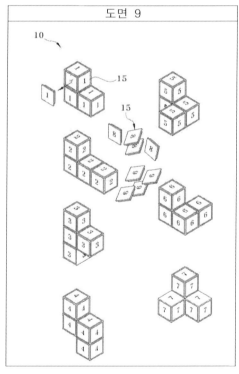

10

15

15

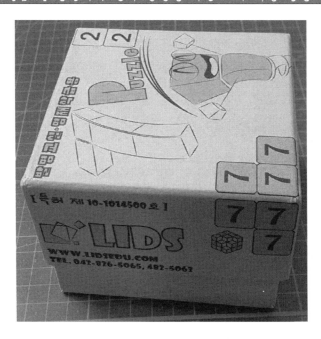

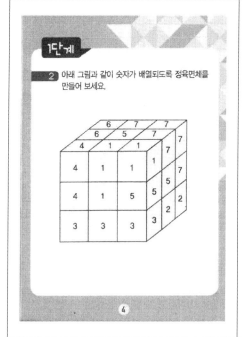

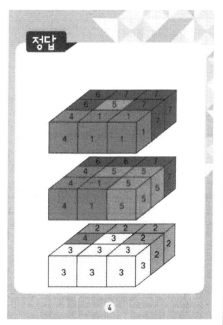

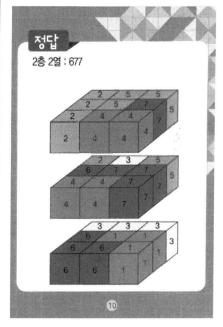

2층 2열 : 677

	3층	2층	1층
3열	255	235	333
2열	257		611
1열	244	447	661

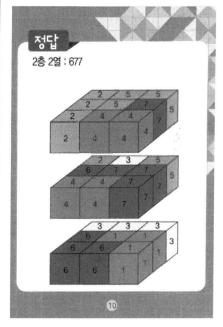

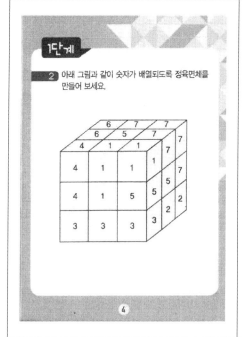

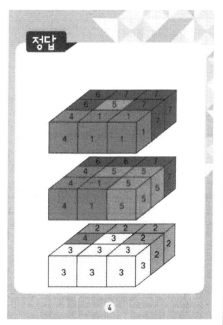

7.3. 아두이노 자동차

7.3.1. 개요

- 발명의 명칭 : 실습용 자동차 키트
- 등록번호 : 10-2568595
- 출원일자 : 2021년 11월 17일
- 등록일자 : 2023년 08월 16일

7.3.2. 요약

본 발명은 베이스 플레이트부와, 베이스 플레이트부에 결합되는 이동수단과, 상기 베이스 플레이트부에 결합되며 상기 이동수단의 동작을 제어하는 제어수단과, 상기 베이스 플레이트부에 결합되며 상기 제어수단에 동력을 공급하는 동력 공급수단을 포함하여 이루어지는 실습용 자동차 키트에 관한 것이다.

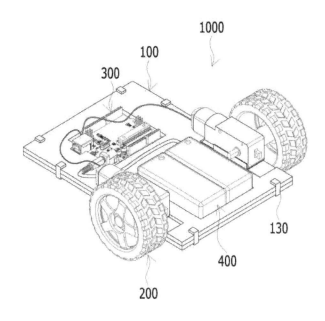

7.3.3. 청구 범위

◉ 청구항 1

베이스 플레이트부(100);

상기 베이스 플레이트부(100)에 결합되는 이동수단(200);

상기 베이스 플레이트부(100)에 결합되며 상기 이동수단(200)의 동작을 제어하는 제어수단(300); 및

상기 베이스 플레이트부(100)에 결합되며 상기 제어수단(300)에 동력을 공급하는 동력 공급수단(400);을 포함하고,

상기 베이스 플레이트부(100)는 상측에 위치되며 두께방향으로 거치공(111)이 형성되는 상부 플레이트(110)와,

상기 상부 플레이트(110) 하측에 결합되어 상기 거치공(111)의 하측 개방부를 폐쇄하는 하부 플레이트(120)와,

상기 상부 플레이트(110)와 상기 하부 플레이트(120)를 밀착 결합하는 결합수단(130);을 포함하고,

상기 상부 플레이트(110)와 상기 하부 플레이트(120)는 가장자리에 상기 결합수단(130)이 끼워지는 결합수단 체결홈(113, 122)이 형성되고,

상기 이동수단(200)은 모터(210)와, 상기 모터(210)와 연결되는 기어박스(220)와, 상기 기어박스(220)와 연결되어 모터(210) 작동 시 회전하는 바퀴(230)와, 상기 기어박스(220)를 상기 하부 플레이트(120)에 체결하는 체결수단(240);을 포함하고,

상기 체결수단(240)은 상기 기어박스(220)가 끼움 결합되는 끼움결합 플레이트(241)와, 상기 끼움결합 플레이트(241) 하측에 형성되고 체결돌기(242-1)가 형성되는 체결 플레이트(242);를 포함하는, 실습용 자동차 키트.

◈ 청구항 4

제 1항에 있어서,

상기 상부 플레이트(110)와 상기 하부 플레이트(120)는 가장자리에 상기 결합수단(130)이 끼워지는 결합수단 체결홈(113, 122)이 형성되는 것을 특징으로 하는, 실습용 자동차 키트.

◈ 청구항 5

제 4항에 있어서,

상기 결합수단(130)은 길이방향으로 연장 형성되며 상기 체결홈(113, 122)에 끼워지는 결합수단 몸체(131);

상기 결합수단 몸체(131)의 길이방향 양측에 절곡 결합되는 절곡립(132);을 포함하는, 실습용 자동차 키트.

◈ 청구항 6

제 1항에 있어서,

상기 베이스 플레이트부(100)의 중심을 사이에 두고 상기 이동수단(200)과 대향 결합되는 마찰 저감부(500);를 포함하는, 실습용 자동차 키트.

◈ 청구항 7

제 6항에 있어서,

상기 하부 플레이트(120)는 두께방향으로 천공되며 내주면에 나사산이 형성되어 상기 마찰 저감부(500)가 나사 결합되는 마찰 저감부 결합공(123);을 포함하는, 실습용 자동차 키트.

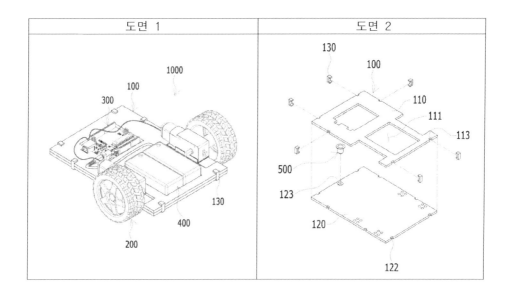

● 청구항 10

제 1항에 있어서,

상기 하부 플레이트(120)는 상기 체결돌기(242-1)가 끼워지는 체결공(124)이 형성되고,

상기 상부 플레이트(110)는 상기 체결공(124)을 외부로 노출시키는 체결공 노출 홈(112)이 형성되는, 실습용 자동차 키트.

7.3.4. 도면

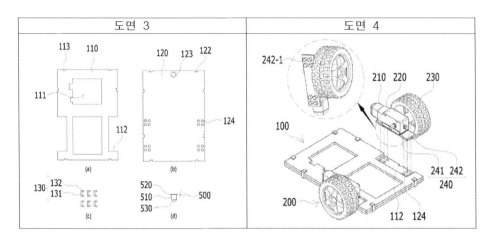

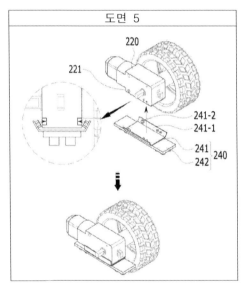

7.4. 과실 성형틀 장치

7.4.1. 개요

- 발명의 명칭 : 감귤 재배에 사용되는 과실성형틀 장치
- 등록번호 : 10-0487160
- 출원일자 : 2003년 03월 06일
- 등록일자 : 2005년 03월 29일

7.4.2. 요약

본 발명은 하트 형상을 갖는 감귤의 재배에 사용되는 과실성형틀 장치에 관한 것으로, 특별하게는 감귤의 수확시 모양을 하트형상으로 재배하는 것이 가능한 감귤의 재배에 사용되는 과실성형틀 장치에 관한 것이다.

본 발명은 하단에 집게부(2), 하트모양의 몸체부(3), 과실의 모근가지에 결착되도록 한 가지접속부(4), 과실몸체부 내부에 과실을 통기시키기 위한 통기구멍(5)이 형성된 구조를 특징으로 하는 감귤 재배에 사용되는 과실성형틀(1) 장치이다.

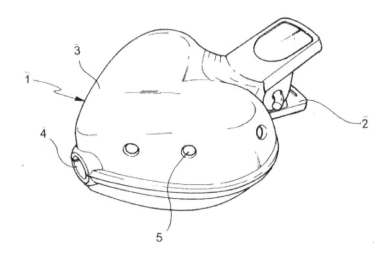

7.4.3. 청구 범위

● 청구항 2

하단에 집게부(2), 하트모양의 몸체부(3), 과실의 모근가지에 결착되도록 한 가지 접속부(4), 과실몸체부 내부의 과실을 통기시키기 위한 통기구멍(5)이 형성된 구조를 특징으로 하는 감귤 재배에 사용되는 과실 성형틀(1) 장치.

● 청구항 3

제 2항에 있어서, 상기 과실성형틀(1)의 몸체부(3)가 사과모양, 딸기모양, 원통모양인 것을 특징으로 하는 감귤 재배에 사용되는 과실성형틀(1) 장치.

● 청구항 4

제 2항에 있어서, 상기 과실성형틀(1)의 재질은 폴리에틸렌(PE), 폴리프로필렌(PP), 염화비닐수지(PVC), 폴리스티렌(PS)등의 화학수지 인 것을 특징으로 하는 감귤 재배에 사용되는 과실성형틀(1) 장치.

● 청구항 5

제 2항에 있어서, 상기 과실성형틀(1)은 햇빛을 투과시키는 투명한 색인 것을 특징으로 하는 감귤 재배에 사용되는 과실성형틀(1) 장치.

7.4.4. 도면

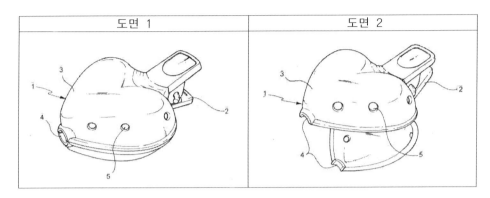

도면 1	도면 2

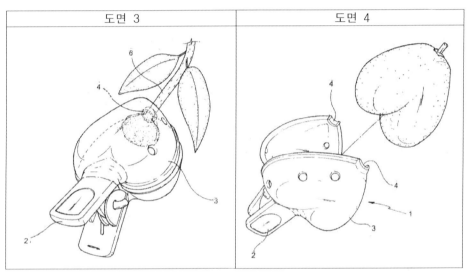

도면 3	도면 4

□ 등록 [3] 감귤 재배에 사용되는 과실성형틀 장치(A apparatus for growing mandarin orange having heart shaped)

IPC : A01G 17/00
출원번호 : 1020060013909
등록번호 : 1004871600000
공개번호 : 1020060025953
대리인 : 김석환

출원인 : 한달선
출원일자 : 2003.03.06
등록일자 : 2005.04.25
공개일자 : 2003.03.29
발명자 : 한달선

□ 거절 [1] 하트 형상을 갖는 수박 재배 방법(The method for cultivation of watermelon having heart shape)

IPC : A01G 13/02 A01G 13/00 … 출원인 : 강석
출원번호 : 1020040093951
등록번호 :
공개번호 : 1020060053546
대리인 :

출원일자 : 2004.11.17
등록일자 :
공개일자 : 2006.05.22
발명자 : 강석

　제주도에 거주하고 있는 한달선씨는 하트 모양으로 한 감귤 재배에 사용되는 성형틀과 재배 방법에 대해 특허권을 취득하였다. 그가 발명한 내용은 감귤이 다 자라지 않은 상태에서 하트 모양의 틀을 씌운 후 이후 그 형틀의 모양대로 자라나게 하는 것이었다. 그의 사례는 각종 뉴스나 매스컴에 성공한 발명 사례로 소개되고 되고 있다. 하지만 하트 모양을 한 수박은 어떨까? 실제 하트 모양을 한 수박이 하트 감귤 보다 1년 쯤 늦게 특허 출원된 것을 확인할 수 있다. 그러나 특허 내용은 '거절' 되었는데, 그 이유는 바로 하트 모양 틀을 이용한 감귤 재배 방법이 등록되었기 때문이다.

참고 문헌

이은상. (2023). 메이커를 위한 아두이노. 서울: 부크크.

이은상. (2024). 전자 부품으로 체험하는 아두이노. 서울: 부크크.

최유현, 문대영, 이진우. (2008). 기술 문제해결 프로젝트. 대전: 충남대학교출판부.

최유현, 이진우, 임윤진, 이은상, 김동하, 이동원. (2016). (창(創) 으로 보는) 팀 문제해결. 대전: 충남대학교출판문화원.

최유현, 조두용, 임윤진, 박세원, 전혜정, 유난숙, . . . 김지숙. (2018). (고등학교) 기술·가정. 서울: 지학사.